#홈스쿨링
#혼자공부하기

똑똑한
하루 과학

Chunjae Makes Chunjae

똑똑한 하루 과학 3-2

편집개발	조진형, 구영희, 김현주, 김성원
디자인총괄	김희정
표지디자인	윤순미, 박민정
내지디자인	박희춘, 우혜림
본문 사진 제공	야외생물연구회
제작	황성진, 조규영

발행일	2021년 6월 1일 초판 2021년 6월 1일 1쇄
발행인	(주)천재교육
주소	서울시 금천구 가산로9길 54
신고번호	제2001-000018호
고객센터	1577-0902

※ 정답 분실 시에는 천재교육 홈페이지에서 내려받으세요.

※ KC 마크는 이 제품이 공통안전기준에 적합하였음을 의미합니다.

※ 주의

책 모서리에 다칠 수 있으니 주의하시기 바랍니다.

부주의로 인한 사고의 경우 책임지지 않습니다.

8세 미만의 어린이는 부모님의 관리가 필요합니다.

똑 똑 한

하루 과학

3-2

쉬운 용어 학습
교과 용어를 쉽게 설명하여
교과 이해력 향상!

재미있는 비주얼씽킹
만화, 사진으로
흥미로운 탐구 학습!

간편한 스케줄링
하루 6쪽, 주 5일, 4주 학습
한 학기 공부습관 완성!

똑똑한 하루 과학
어떤 책인지 알면 공부가 더 재미있어.

똑똑한 하루 과학 구성과 특징

핵심 용어

- 핵심 용어만 쏙!
- 한자와 예문으로 이해 쏙쏙!
- 그림으로 기억력 UP!

실험 동영상

빠른 정답 보기

③ 개념 확인하기

빠른 정답 보기

- '① 개념 만화 → ② 개념 익히기 → ③ 개념 확인하기' 3단계로 하루 학습
- 하루 6쪽, 4주면 한 학기 공부 끝!

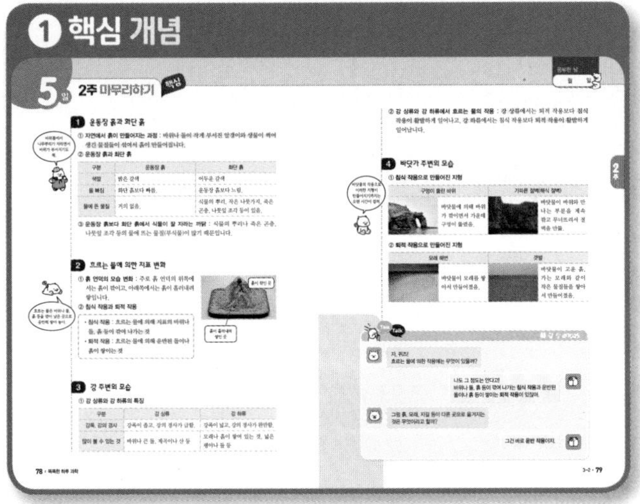

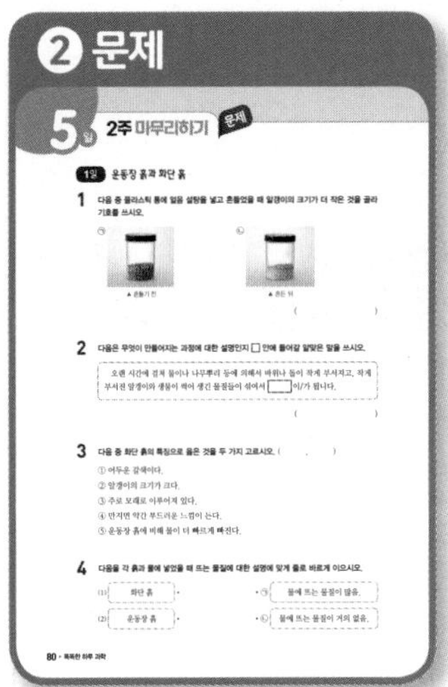

• '❶ 핵심 개념 → ❷ 문제' 2단계로 하루 학습

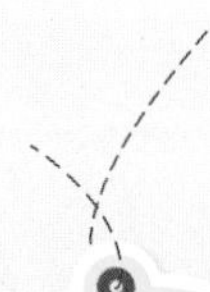

특강

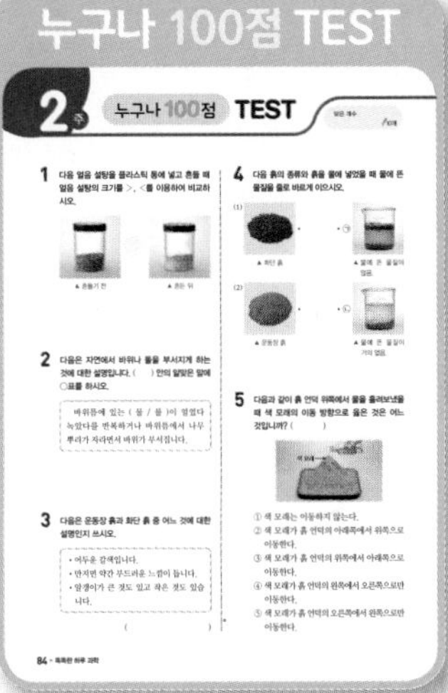

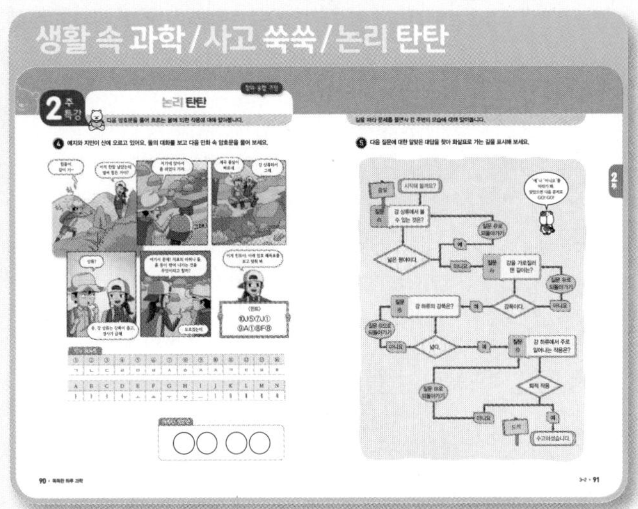

• 한 주에 배운 내용을 확인하는 누구나 100점 맞는 TEST
• 재미있고 새로운 유형의 특강으로 창의력, 사고력, 논리력 UP!

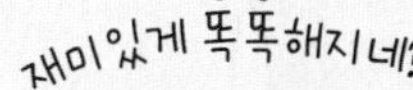

하루하루 조금씩 기초부터 쌓다 보면 어느새 자신감이 생겨.

똑똑한 하루 과학 차례

●○○ 과학 탐구		6쪽

1주 동물의 생활

용어	분류 / 확대경 / 사막 / 물갈퀴 / 아가미 / 지느러미 / 곤충	10쪽
1일	동물의 분류	12쪽
2일	땅에서 사는 동물	18쪽
3일	물에서 사는 동물	24쪽
4일	날아다니는 동물 / 동물의 특징 활용	30쪽
5일	1주 마무리하기	36쪽
특강	• 누구나 100점 TEST • 생활 속 과학 / 사고 쑥쑥 / 논리 탄탄	42쪽

2주 지표의 변화

용어	흙 / 부식물 / 침식 작용 / 퇴적 작용 / 강폭 / 해식절벽 / 갯벌	52쪽
1일	운동장 흙과 화단 흙	54쪽
2일	흐르는 물의 의한 지표 변화	60쪽
3일	강 주변의 모습	66쪽
4일	바닷가 주변의 모습	72쪽
5일	2주 마무리하기	78쪽
특강	• 누구나 100점 TEST • 생활 속 과학 / 사고 쑥쑥 / 논리 탄탄	84쪽

물질의 상태

용어	물질 / 고체 / 부피 / 액체 / 공기 / 물질의 상태 / 기체	94쪽
1일	고체 알아보기	96쪽
2일	액체 알아보기	102쪽
3일	공기 알아보기	108쪽
4일	공기의 상태	114쪽
5일	3주 마무리하기	120쪽
특강	• 누구나 100점 TEST • 생활 속 과학 / 사고 쑥쑥 / 논리 탄탄	126쪽

소리의 성질

용어	소리굽쇠 / 떨림(진동) / 소리의 세기 / 소리의 높낮이 / 소리의 전달 / 소리의 반사 / 소음	136쪽
1일	소리 나는 물체	138쪽
2일	소리의 세기와 높낮이	144쪽
3일	소리의 전달	150쪽
4일	소리의 반사	156쪽
5일	4주 마무리하기	162쪽
특강	• 누구나 100점 TEST • 생활 속 과학 / 사고 쑥쑥 / 논리 탄탄	168쪽

똑똑한 하루 과학을 함께할 친구들

탐험 대장

의지는 강하지만
항상 덜렁대는 삼촌

예지

탐험대의 실제 리더
쌍둥이 누나

지민

추리력이 뛰어난
쌍둥이 남동생

이삭

쌍둥이네
뚱보 고양이

과학 탐구

1 탐구 문제 정하기

궁금한 것 기록하기		탐구 문제 정하기
수업 시간에 배운 내용과 생활에서 관찰한 것 중 궁금했던 것을 떠올림.	➡	궁금한 것 중에서 한 가지를 골라 탐구 문제로 정함. [탐구 문제] 예 막대자석 두 개를 길게 이어 붙이면 막대자석 한 개보다 클립이 더 많이 붙을까?

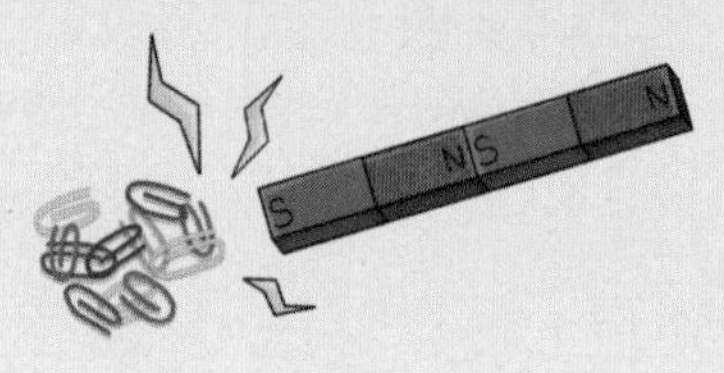

2 탐구 계획 세우기

탐구 문제 해결 방법 정하기

- 실험을 어떻게 할지 정함.
- 실험에서 다르게 해야 할 것과 그에 따라 바뀌는 것을 생각함.

탐구 계획 세우기

- 탐구 문제, 탐구 문제 해결 방법, 탐구 순서, 준비물, 예상 결과가 있어야 함.

탐구 계획 발표하기

- 탐구 계획에 대한 친구들의 의견을 듣고 부족한 부분을 보충함.

탐구 문제를 해결할 때 다르게 해야 할 것은 자석의 개수이고, 그에 따라 자석에 붙는 클립의 개수가 달라져.

3 탐구 실행하기

탐구 실행하기		탐구를 하여 알게 된 것 정리하기
• 탐구 결과 기록 방법을 정한 뒤 계획에 따라 탐구를 실행함. • 탐구 결과를 사실대로 빠짐없이 기록함.	➡	• 탐구 결과를 바탕으로 탐구를 하여 알게 된 것을 정리함. • 예 막대자석 두 개를 길게 이어 붙이면 막대자석 한 개보다 클립이 더 많이 붙음.

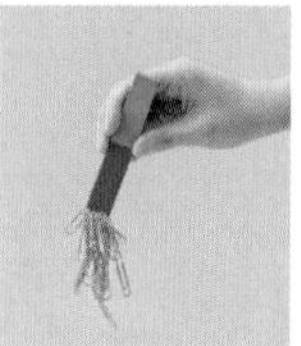

▲ 자석에 붙은 클립의 개수

4 탐구 결과 발표하기

발표 방법 정하기

- 탐구 결과를 쉽게 전달할 수 있는 발표 방법을 정함.

발표 자료 만들기

- 탐구 문제, 탐구한 사람, 탐구한 때와 장소, 준비물, 탐구 순서, 탐구 결과, 탐구를 하여 알게 된 것 등이 들어감.

탐구 결과 발표하기

- 탐구 결과를 발표하고 친구들의 질문에 대답함.
- 친구들의 발표 내용을 듣고 질문함.

탐구 결과는 포스터, 전시회, 프레젠테이션 등을 활용해 발표해.

막대자석 두 개를 길게 이어 붙이면 막대자석 한 개보다 클립이 더 많이 붙을까?

탐구한 사람: ○○○, □□□

* 탐구한 때와 장소: ○○월 ○○일, 과학실
* 준비물 : 크기가 같은 막대자석 두 개, 클립 여러 통
* 탐구 순서
* 탐구 결과

막대자석의 개수	자석에 붙은 클립의 개수(개)		
	1회	2회	3회
1개	~	~	~
2개	~	~	~

5 새로운 탐구 하기

① 우리 주변에서 궁금한 것 찾기 : 생활에서 관찰한 것, 수업 시간에 배운 내용, 인터넷 등에서 찾은 내용 중에서 궁금한 것을 찾아봅니다.

② 궁금한 것 중에서 새로운 탐구 문제 정하기

예 자석을 여러 개로 쪼개어도 자석에 붙는 클립의 개수는 같을까?

탐구 과정 정리

탐구는 스스로 탐구 과정을 거쳐 새로운 지식을 얻거나 문제를 해결하는 활동이야.

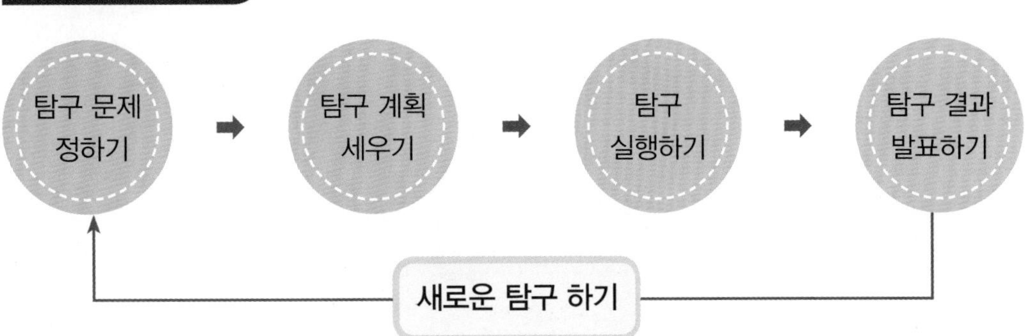

1주 동물의 생활

1주에는 무엇을 공부할까? 1

날개가 있는 것

날개가 없는 것

동물의 분류

동물을 특징에 따라 분류해 보면 동물을 더 잘 이해할 수 있어.

동물의 생활

생활 환경에 따른 동물의 특징

동물의 특징을 활용한 예

▲ 땅에서 사는 동물

▲ 물에서 사는 동물

▲ 날아다니는 동물

▲ 문어 빨판

▲ 칫솔걸이

문어 빨판이 잘 붙는 특징을 활용하여 거울이나 유리에 잘 붙는 칫솔걸이를 만들었어.

우리 주위에는 다양한 동물이 살아가고 있고, 생활 환경에 따라 동물의 특징이 다르다는 것을 꼭 기억해!

1주	핵심 용어	10쪽
1일	동물의 분류	12쪽
2일	땅에서 사는 동물	18쪽
3일	물에서 사는 동물	24쪽
4일	날아다니는 동물 / 동물의 특징 활용	30쪽
5일	1주 마무리하기	36쪽

핵심 용어

1주 1주에는 무엇을 공부할까? ❷

분류

分 類

나눌 분 무리 류

우리는 다리가 없어.

우리는 다리가 있지.

뜻 탐구 대상의 공통점과 차이점을 바탕으로 무리 짓는 것

예 여러 가지 동물을 관찰하고 다리의 수에 따라 **분류**해 보았어요.

확대경

擴 大 鏡

넓힐 확 큰 대 거울 경

뜻 작은 동물을 가둬 놓고 자세하게 관찰할 수 있는 도구

예 **확대경**으로 동물을 관찰한 뒤에는 살던 곳에 놓아 주어야 해요.

사막은 낮에는 덥고 밤에는 매우 추워.

사막

沙 漠

모래 사 사막 막

뜻 비가 아주 적게 오기 때문에 땅이 메말라 식물이 거의 자라지 않으며, 모래나 돌로 덮여 있는 넓은 땅

예 물과 먹이가 부족한 **사막**에도 다양한 생물들이 살아요.

물갈퀴

내 발가락 사이에는 물갈퀴가 있어!

뜻 수달, 개구리 등의 발가락 사이에 있는 얇은 막으로 헤엄을 치는 데 편리함.

예 수달은 발가락에 물갈퀴가 있어 물에서 **헤엄**을 잘 칠 수 있어요.

동물의 생활과 관련된 다양한 용어가 있어.
특히 아가미와 지느러미 등의 용어는 꼭 기억해!

아가미

난 아가미로 숨을 쉬어.

뜻 **물고기와 같이 물에서 사는 동물이 숨을 쉬는 데 사용하는 기관**

예 어항 속의 금붕어가 **아가미**를 뻐끔거리며 숨을 쉬어요.

지느러미

내 지느러미 크고 멋지지!

뜻 **물고기가 물속에서 몸의 균형을 유지하고 헤엄을 치는 데 사용하는 기관**

예 수족관에서 가오리가 큰 **지느러미**를 흔들며 헤엄치는 것을 봤어요.

물고기는 아가미와 지느러미가 있어 물에서 살기에 알맞아.

곤충

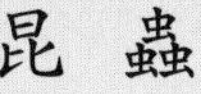

昆 蟲
벌레 곤 벌레 충

뜻 **몸이 머리, 가슴, 배 세 부분으로 되어 있고 다리가 세 쌍인 동물**

예 **곤충**의 날개는 대부분 두 쌍이고 종이와 같이 얇아요.

낙타는 발바닥이 넓어서 모래에 잘 빠지지 않네.
또 콧구멍을 여닫을 수 있어 콧속으로 모래가 잘 들어가지 않아.
휘
잉
나만 혼자 두고 가면 안 돼.

1일 동물의 분류

보물 지도를 훔쳐 간 범인은 누구?

저기 삼촌네 집이다.
방학 때마다 오지만 여긴 너무 멀어.
우리 도착했어요!
이런 어디로 사라진 거야?
삼촌 뭐 하는 거예요?
수상한 흔적을 관찰하고 있어.
누렁이가 왜 수상해요?
아버지가 물려주신 보물 지도로 너희들과 같이 보물을 찾으려고 했는데 지도가 없어졌어.
끼이 끼이
낑
할아버지의 보물 지도요?
유명한 탐험가신 할아버지의 보물 지도라면…….
그래! 분명 굉장한 보물이 숨겨져 있을 거야.
헤헤 하하
김칫국 좀 그만 마셔요! 우선 지도를 찾아야죠!
여기 나 말고 보물 지도를 가져갈 만한 건 동물들밖에 없어.
정말 동물들이 가져갔을까?
낑
여긴 동물들밖에 없으니까 가능성은 충분해.

용어 체크

관찰

탐구하고자 하는 대상의 특징을 자세히 살펴보는 것

예 채집하여 관찰한 동물은 ❶ [ ] 이 끝난 뒤에는 살던 곳에 놓아 주어야 한다.

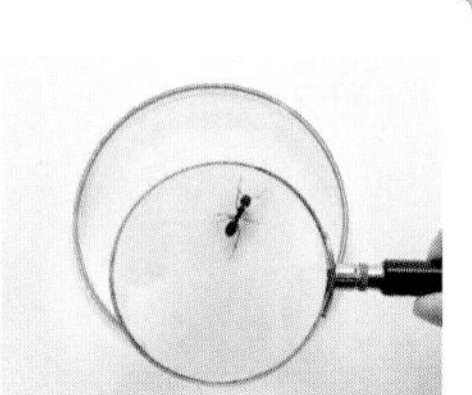
▲ 돋보기로 개미를 관찰하는 모습

정답 ❶ 관찰

1주

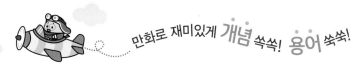

동물을 분류해서 범인을 찾아보자!

용어 체크

분류

탐구 대상의 공통점과 차이점을 바탕으로 무리 짓는 것

分	類
나눌 분	무리 류

예 동물은 사는 곳의 특징에 따라 물속에서 살 수 있는 것과 물속에서 살 수 없는 것으로 ❶ (   ) 할 수 있다.

정답 ❶ 분류

1일 개념 익히기

1 주변에는 어떤 동물이 살고 있을까?

공벌레는 주로 ❶(집안 / 화단)에서 볼 수 있는 동물입니다.

2 동물을 분류할 수 있는 기준을 알아볼까?

다리가 있는가?	날개가 있는가?	알을 낳는가?
곤충인가?	다른 동물을 먹는가?	물속에서 살 수 있는가?

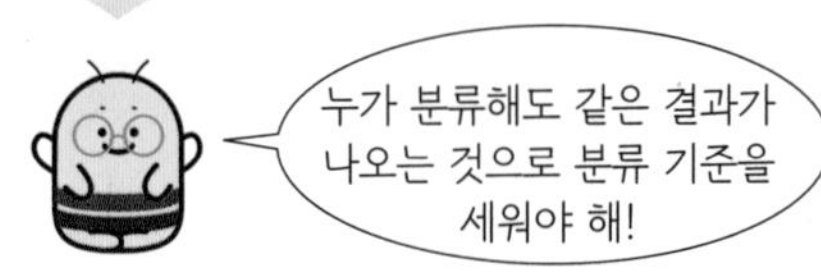

동물을 분류할 때에는 누가 분류해도 같은 결과가 나오는 것으로 분류 ❷(기준 / 종류)을/를 세워야 합니다.

3 동물을 특징에 따라 분류해 볼까?

분류 기준 날개가 있는가?

분류 기준 다리가 있는가?

분류 기준 곤충인가?

여러 가지 동물을 ❸(뿌리 / 날개)이/가 있는 것과 없는 것으로 분류할 수 있습니다.

정답 ❶ 화단 ❷ 기준 ❸ 날개

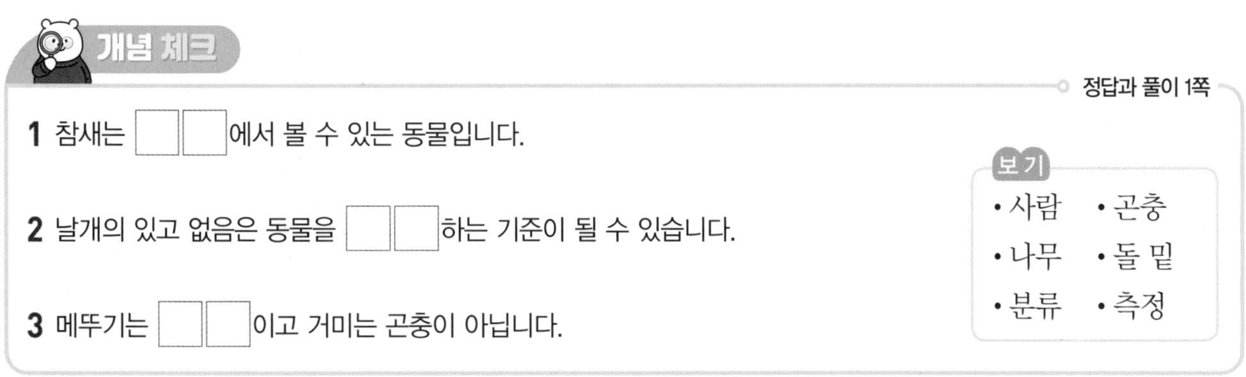

개념 체크

정답과 풀이 1쪽

1 참새는 ☐☐에서 볼 수 있는 동물입니다.

2 날개의 있고 없음은 동물을 ☐☐하는 기준이 될 수 있습니다.

3 메뚜기는 ☐☐이고 거미는 곤충이 아닙니다.

보기
- 사람 • 곤충
- 나무 • 돌 밑
- 분류 • 측정

1일

개념 확인하기

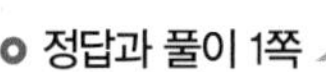
○ 정답과 풀이 1쪽

1 다음 중 주변 나무에서 주로 볼 수 있는 동물은 어느 것입니까? (　　　　)

① 
▲ 까치

② 
▲ 공벌레

③ 
▲ 고양이

④ 
▲ 개

2 다음 중 동물을 특징에 따라 분류할 때 분류 기준으로 옳지 <u>않은</u> 것은 어느 것입니까?
(　　　　)

① 새끼를 낳는가?
② 다리가 있는가?
③ 날개가 있는가?
④ 생김새가 예쁜가?
⑤ 다른 동물을 먹는가?

3 다음 동물을 날개가 있는 것과 없는 것에 맞게 줄로 바르게 이으시오.

(1) 날개가 있는 것 •

• ㉠ 
▲ 개구리

(2) 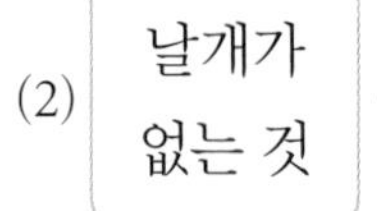
날개가 없는 것 •

• ㉡ 
▲ 나비

4 다음과 같이 동물을 분류할 수 있는 기준을 보기 에서 골라 기호를 쓰시오.

뱀, 지렁이, 달팽이	까치, 나비, 고양이

보기
㉠ 다리가 있는가? ㉡ 날개가 있는가? ㉢ 지느러미가 있는가?

( )

5 다음은 여러 가지 동물을 곤충인 것과 곤충이 아닌 것으로 분류한 것입니다. □ 안에 들어갈 동물로 알맞은 것을 쓰시오.

- 곤충인 것 : 메뚜기, 꿀벌, □
- 곤충이 아닌 것 : 거미, 다람쥐, 개, 고양이

( )

똑똑한 하루 퀴즈

6 다음 □ 안에 들어갈 알맞은 낱말을 말 상자에서 찾아 모두 ○표를 하세요. 말 상자의 낱말은 가로, 세로, 대각선에 숨어 있어요.

분	석	진	☆
종	류	화	나
벌	☆	단	무
레	몬	다	리

1. 개미와 공벌레는 나무와 화단 중 주로 □□에서 볼 수 있는 동물임.
2. 동물을 관찰하고 특징에 따라 □□할 수 있음.
3. 달팽이는 □□가 없고, 잠자리는 □□가 세 쌍이 있음.

2일 땅에서 사는 동물

개미들이 보물 지도를 가져갔어!

삼촌은 사탕을 먹으면서 침을 흘리는 버릇이 있지. 분명히 지도에도 사탕이 묻어있었을 거야.

맞아!

지저분한 삼촌의 버릇 중 하나지.

사탕이 잔뜩 묻은 지도는 개미들한테는 바로 보물 창고나 다름없어.

그러고 보니 바닥에 지도가 끌린 흔적들이 보이네.

이 **확대경**을 들고 개미들을 자세하게 관찰하면 보물 지도의 위치를 찾을 수 있을 거야.

와~

짠~

개미가 지도를 끌고 갔으면 멀리 가지는 못했을 거야. 자 나를 따라와!

생각보다 잘하는데.

사사삭

이런 큰일이야.

우왕

좌왕

왜 그래?

이건 분명 개미들이 지도를 다른 동물한테 빼앗긴 흔적이야.

다른 동물?

용어 체크

확대경

작은 동물을 가둬 놓고 자세하게 관찰할 수 있는 도구

예 개미와 같이 움직이는 작은 동물은 ❶ [   ] 을 사용하면 쉽고 자세하게 관찰할 수 있다.

정답 ❶ 확대경

새가 보물 지도를 물고 간 건 아니겠지?

다른 동물이 가져갔다면 흔적이 계속 남아야 하는데 왜 흔적이 없지?

뭐야 그럼 동물이 아니란 말이야? 귀.... 귀신!

와락

동물 맞아요.

휴

그럼 동물인데 왜 흔적이 남지 않은 거야?

그건 땅에서 생활하는 동물이 아니기 때문이죠.

끄덕 끄덕

그럼 새?

새가 가져갔다면 정말 끝이야. 지금쯤이면 저 멀리 **사막**으로 갔을 거야. 그리고 지도는 햇빛에 타버리겠지.

털썩

어떻게 새가 그렇게 빨리 사막까지 날아가요? 말도 안 돼.

아니야. 비가 아주 적게 와서 땅이 메마른 사막은 그야말로 죽음의 땅이라고! 아버지 죄송합니다.

삼촌 또 오버하신다.

푸드득

흑시 보물 지도를 물고 간 새?

저기 새소리가 들려.

용어 체크

사막

비가 아주 적게 오기 때문에 땅이 메말라 식물이 거의 자라지 않으며, 모래나 돌로 덮여 있는 넓은 땅

예 낙타를 타고 ❶ [ ] 을 건너는 사람들은 모래바람을 막기 위해 수건으로 얼굴을 둘러쌌다.

정답 ❶ 사막

2일 개념 익히기

1 땅에서 사는 동물의 특징을 알아볼까?

땅 위에서 사는 동물 예
위험을 느끼면 몸을 둥글게 말아.
다람쥐
공벌레
소
다리는 두 쌍이 있고 걷거나 뛰어다니며, 몸이 털로 덮여 있음.
다리는 일곱 쌍이 있고 걸어 다니며 몸이 여러 개의 마디로 되어 있음.
다리는 두 쌍이 있고 걸어 다니며, 몸이 털로 덮여 있음.
확대경을 사용하면 편리하게 관찰할 수 있어.
땅 위와 땅속을 오가며 사는 동물 예
땅에서 사는 동물 중 다리가 있는 동물은 걷거나 뛰어다니고, 다리가 없는 동물은 기어 다녀.
뱀
개미
배를 땅에 대고 기어 다님.
다리가 세 쌍이 있고 걸어 다님.
땅속에서 사는 동물 예
두더지
지렁이
땅강아지
삽처럼 생긴 앞다리로 땅속에 굴을 팜.
피부가 매끄럽고 몸이 길며 땅속을 기어 다님.
다리는 세 쌍이 있고 걸어 다니며 날기도 함.

☑ 땅에서 사는 동물 중 다리가 ❶(있는 / 없는) 동물은 기어 다닙니다.

2 사막에서 사는 동물의 특징을 알아볼까?

사막의 환경
- 모래바람이 많이 붊.
- 낮에는 덥고 밤에는 매우 추움.
- 비가 많이 내리지 않아 물이 매우 적음.

사막에서 사는 동물이 사막 환경에서 잘 살 수 있는 까닭은 뭘까?

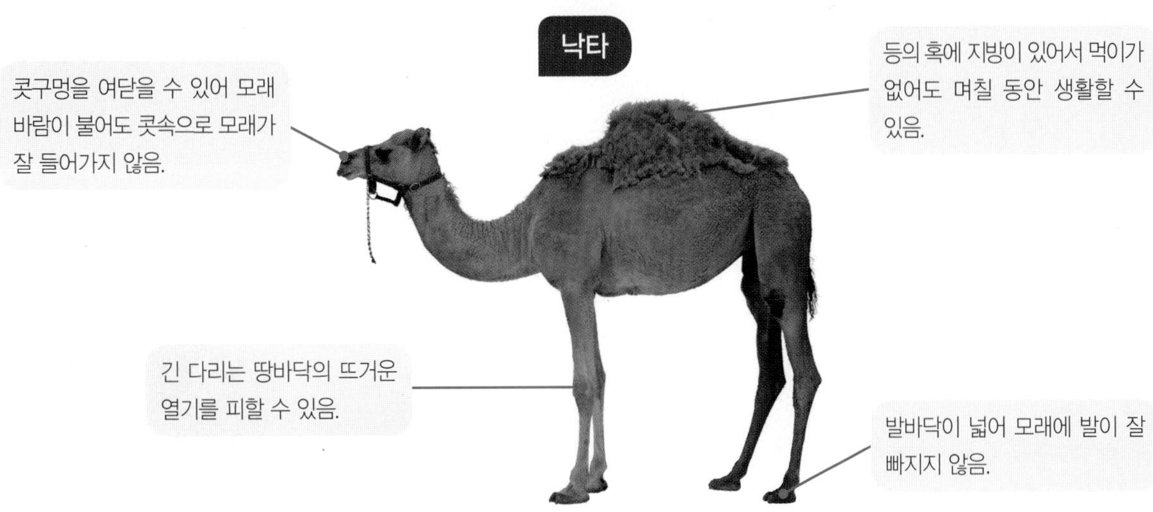
낙타
콧구멍을 여닫을 수 있어 모래바람이 불어도 콧속으로 모래가 잘 들어가지 않음.
등의 혹에 지방이 있어서 먹이가 없어도 며칠 동안 생활할 수 있음.
긴 다리는 땅바닥의 뜨거운 열기를 피할 수 있음.
발바닥이 넓어 모래에 발이 잘 빠지지 않음.

사막여우
귓속의 털로 인해 귓속으로 모래가 잘 들어가지 않음.
몸에 비해 큰 귀를 가지고 있어서 체온 조절을 함.

도마뱀
낮에 모래는 무척 뜨거워.
서 있거나 이동할 때 한 번에 두 발씩 번갈아 들어 올리며 열을 식힘.

낙타는 등의 혹에 ❷(지방 / 물)이 있어서 먹이가 없어도 며칠 동안 생활할 수 있습니다.

정답 ❶ 없는 ❷ 지방

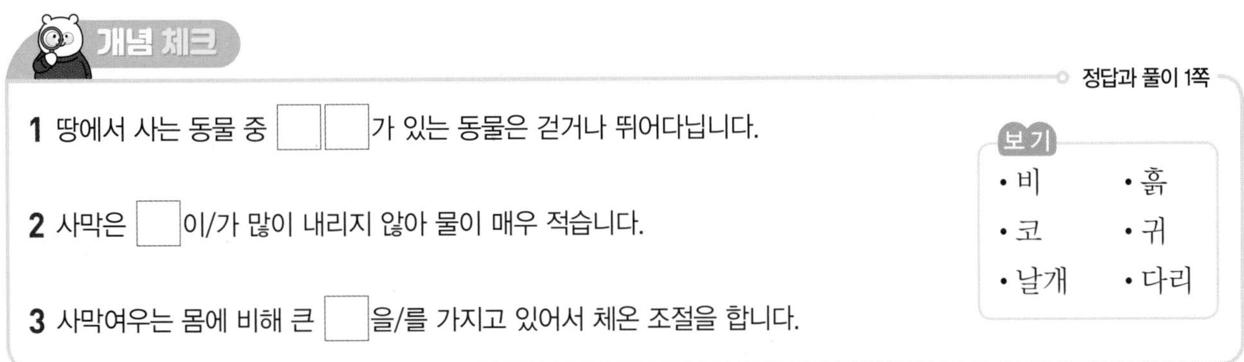

개념 체크

정답과 풀이 1쪽

1 땅에서 사는 동물 중 [ ][ ]가 있는 동물은 걷거나 뛰어다닙니다.

2 사막은 [ ]이/가 많이 내리지 않아 물이 매우 적습니다.

3 사막여우는 몸에 비해 큰 [ ]을/를 가지고 있어서 체온 조절을 합니다.

보기
- 비
- 흙
- 코
- 귀
- 날개
- 다리

2일 개념 확인하기

○ 정답과 풀이 1쪽 빠른 정답 보기

1 다음 중 땅속에서 사는 동물은 어느 것입니까? (   )

① 
▲ 다람쥐

② 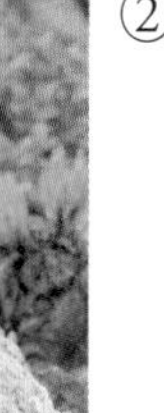 
▲ 소

③ 
▲ 두더지

④ 
▲ 공벌레

2 움직이는 작은 동물을 가둬 놓고 관찰할 수 있는 오른쪽 도구의 이름을 쓰시오.

(   )

3 다음을 땅에서 사는 동물의 이동 방법에 맞게 줄로 바르게 이으시오.

(1) 다리가 있는 동물 •　　　　• ㉠ 걷거나 뛰어다님.

(2) 다리가 없는 동물 •　　　　• ㉡ 기어 다님.

4 다음 보기 에서 사막의 환경에 대한 설명으로 옳지 않은 것을 골라 기호를 쓰시오.

보기

㉠ 모래바람이 많이 붑니다.
㉡ 낮에는 춥고 밤에는 매우 덥습니다.
㉢ 비가 많이 내리지 않아 물이 매우 적습니다.

(   )

5 다음 중 사막여우가 사막에서 잘 살 수 있는 특징으로 옳은 것은 어느 것입니까? (　　　)

① 앞다리로 땅을 잘 팔 수 있다.
② 몸에 비해 큰 귀를 가지고 있다.
③ 몸에 비해 작은 코를 가지고 있다.
④ 온몸이 딱딱한 껍데기로 덮여 있다.
⑤ 몸의 일부를 들고 옆으로 기어 다니는 것처럼 이동한다.

집중 연습 문제 낙타의 특징

6 오른쪽은 사막에 사는 낙타의 모습입니다. 등의 혹에는 무엇이 있는지 쓰시오.

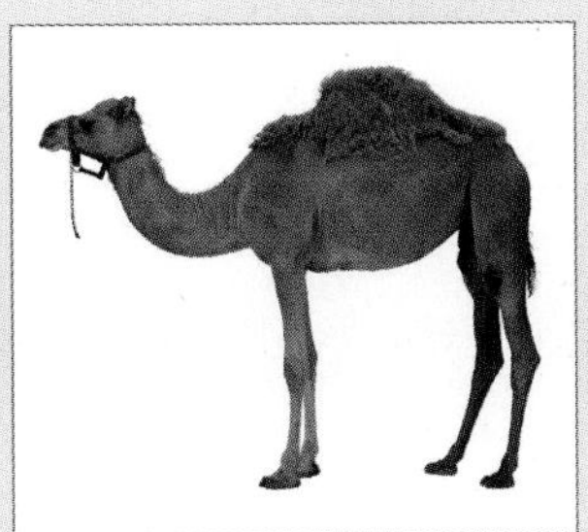

(　　　　　　　　　　)

낙타는 등의 혹에 이것이 있어서 먹이가 없어도 며칠 동안 생활할 수 있어.

7 다음 보기에서 낙타가 사막의 환경에서 잘 살 수 있는 까닭으로 옳은 것을 골라 기호를 쓰시오.

보기
㉠ 발바닥이 좁아 모래와 닿는 부분을 줄입니다.
㉡ 긴 다리는 땅바닥의 열기를 피할 수 있습니다.
㉢ 콧구멍이 항상 막혀 있어 모래바람을 잘 막을 수 있습니다.

(　　　　　　　　　　)

모래에 닿는 부분이 [　　　] 모래에 발이 잘 빠지지 않아.

3일 물에서 사는 동물

보물 지도가 이번엔 수달에게로!

멍청한 새야!
내 보물 지도 내놔.
정말 보물 지도를 물고 있어.
팔랑
팔랑
안 돼! 거기서 놓으면 어떻게 해.
지도는 내가 찾는다.
첨벙
첨벙
삼촌! 안 돼요!
수영도 못하면서 왜 물에 들어가요?
내 보물 지도는…….
저기 수달이 지도를 잡고 있어요.
수달? 수달도 수영을 할 수 있나?
당연하죠. 수달은 **물갈퀴**가 있어서 물에서 헤엄을 잘 칠 수 있어요.
어? 수달이 물속에 들어갔어.
꺼이
안 돼!
꺼이
내게 맡겨요.

용어 체크

물갈퀴

수달, 개구리 등의 발가락 사이에 있는 얇은 막으로 헤엄을 치는 데 편리함.

예 개구리는 앞다리보다 뒷다리가 길고 뒷다리 발가락 사이에 ❶ [ ] 가 있다.

▲ 개구리 물갈퀴

정답 ❶ 물갈퀴

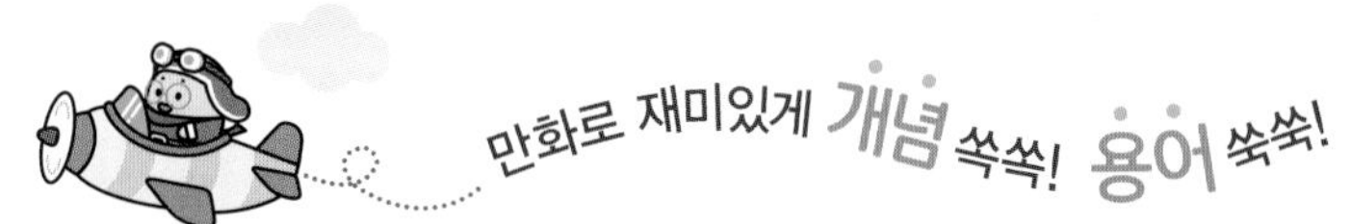
만화로 재미있게 개념 쏙쏙! 용어 쏙쏙!

공부한 날
월 일

예지가 물속에서 보물 지도를 찾았어!

내가 가서 지도를 찾아올게요.
두 둥

그건 할아버지의 잠수복이잖아.
오래된 건데 괜찮을까?
저만 믿으세요.

그런데 수달을 따라 잡을 수 있을까?
걱정 말라니까!

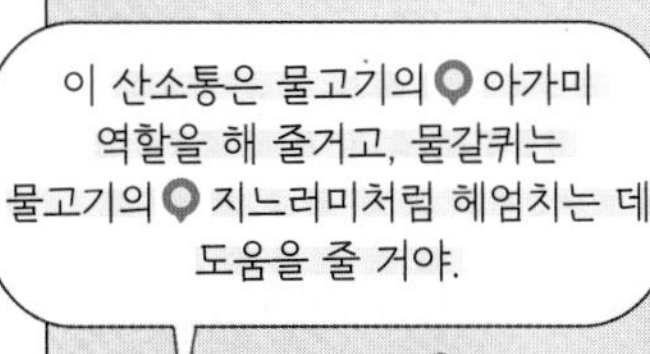
이 산소통은 물고기의 아가미 역할을 해 줄거고, 물갈퀴는 물고기의 지느러미처럼 헤엄치는 데 도움을 줄 거야.

지느러미
아가미

자, 예지가 나가신다.
와
예지 화이팅!
탁

찾았다.
예지 최고!
촤 악
역시 몸으로 하는 건 예지를 이길 수 없어.
긁적 긁적

용어 체크

아가미

물고기와 같이 물에서 사는 동물이 숨을 쉬는 데 사용하는 기관

예 붕어, 상어와 같이 물에 사는 물고기는 ❶ [ ] 로 숨을 쉰다.

지느러미

물고기가 물속에서 몸의 균형을 유지하고 헤엄을 치는 데 사용하는 기관

예 상어는 가라앉지 않기 위해 계속 ❷ [ ] 를 흔들며 헤엄쳐야 한다.

정답 ❶ 아가미 ❷ 지느러미

1 강이나 호수에서 사는 동물의 특징을 알아볼까?

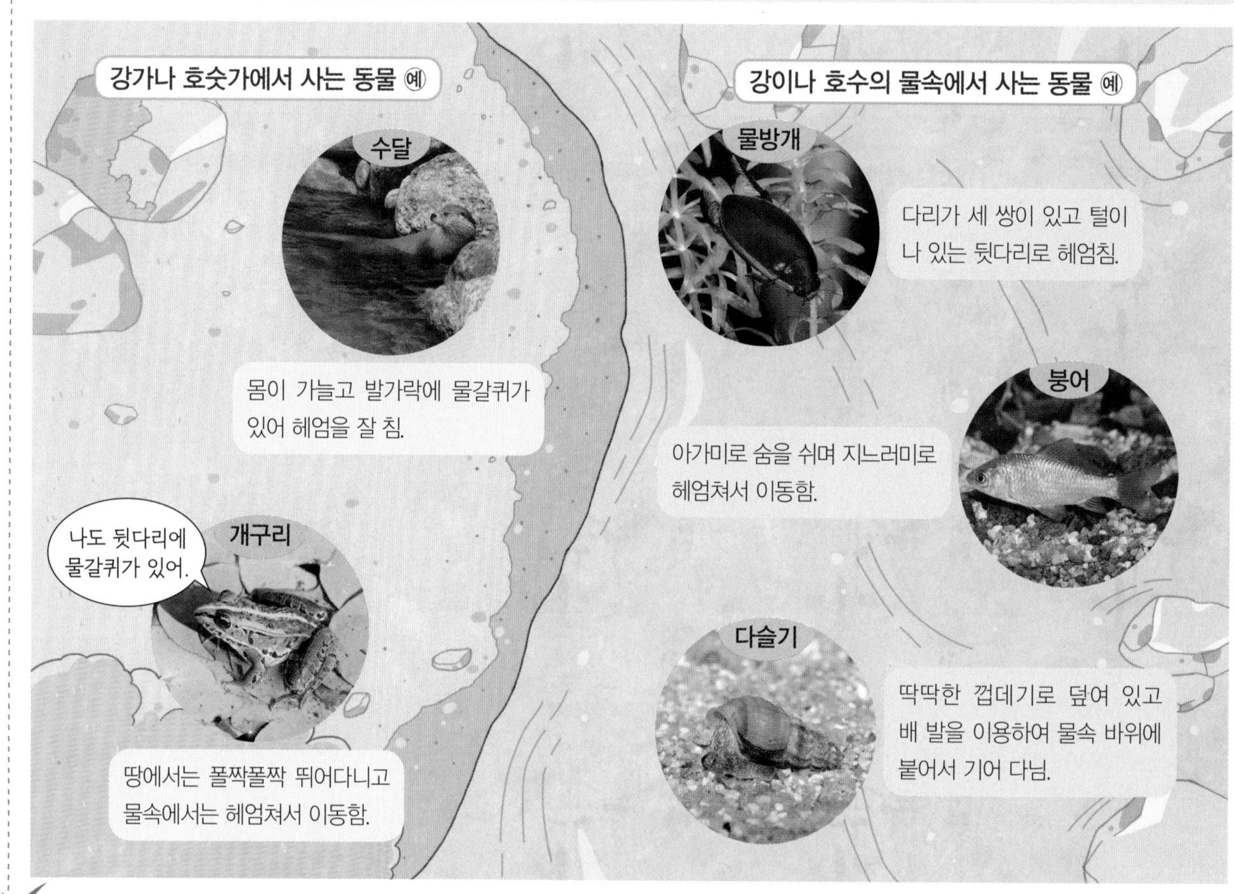

강가나 호숫가에서 사는 동물 예
수달
몸이 가늘고 발가락에 물갈퀴가 있어 헤엄을 잘 침.
나도 뒷다리에 물갈퀴가 있어.
개구리
땅에서는 폴짝폴짝 뛰어다니고 물속에서는 헤엄쳐서 이동함.
강이나 호수의 물속에서 사는 동물 예
물방개
다리가 세 쌍이 있고 털이 나 있는 뒷다리로 헤엄침.
붕어
아가미로 숨을 쉬며 지느러미로 헤엄쳐서 이동함.
다슬기
딱딱한 껍데기로 덮여 있고 배 발을 이용하여 물속 바위에 붙어서 기어 다님.

강가나 호숫가에는 수달, ❶(다슬기 / 개구리) 등이 살고 있습니다.

2 붕어와 같은 물고기가 물속에서 생활하기에 알맞은 점은 무엇일까?

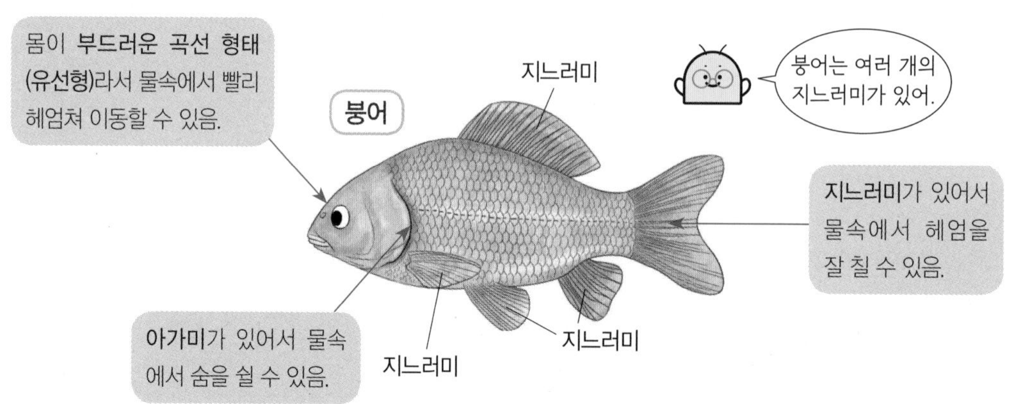

붕어와 같은 물고기는 ❷(아가미 / 지느러미)가 있어서 물속에서 숨을 쉴 수 있습니다.

3 바다에서 사는 동물의 특징을 알아볼까?

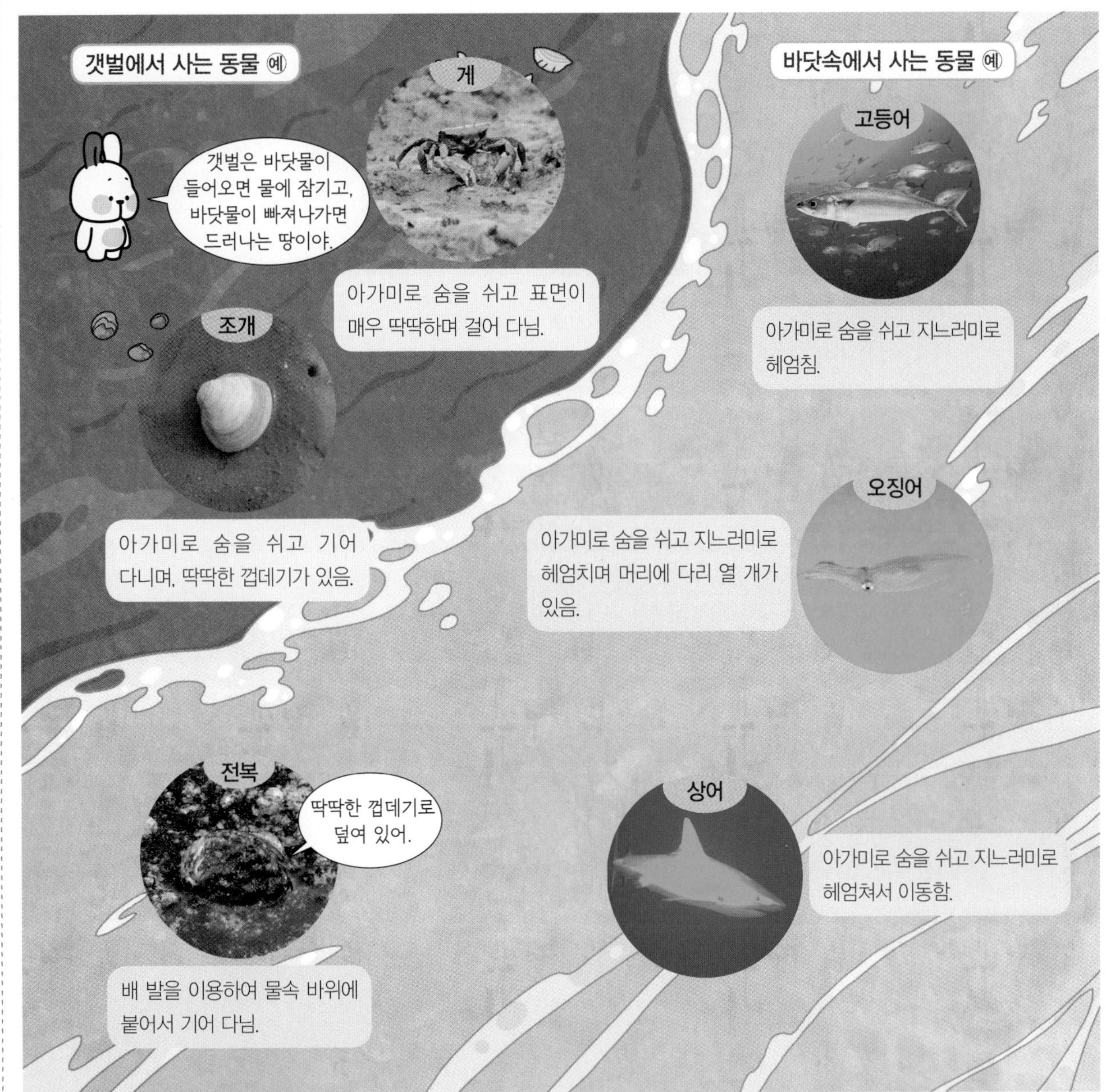

갯벌에서 사는 동물 예
갯벌은 바닷물이 들어오면 물에 잠기고, 바닷물이 빠져나가면 드러나는 땅이야.
게
아가미로 숨을 쉬고 표면이 매우 딱딱하며 걸어 다님.
조개
아가미로 숨을 쉬고 기어 다니며, 딱딱한 껍데기가 있음.
바닷속에서 사는 동물 예
고등어
아가미로 숨을 쉬고 지느러미로 헤엄침.
오징어
아가미로 숨을 쉬고 지느러미로 헤엄치며 머리에 다리 열 개가 있음.
전복
딱딱한 껍데기로 덮여 있어.
배 발을 이용하여 물속 바위에 붙어서 기어 다님.
상어
아가미로 숨을 쉬고 지느러미로 헤엄쳐서 이동함.

바닷속에서 사는 ❸(전복 / 상어)은/는 아가미로 숨을 쉬고 지느러미로 헤엄을 칩니다.

정답 ❶ 개구리 ❷ 아가미 ❸ 상어

개념 체크

정답과 풀이 1쪽

1 수달은 발가락에 ☐☐☐이/가 있어 헤엄을 잘 칩니다.

2 붕어가 숨을 쉴 때 이용하는 것은 ☐☐☐입니다.

3 전복은 ☐☐☐에서 사는 동물입니다.

보기
- 아가미
- 물갈퀴
- 바닷속
- 껍데기
- 호숫가
- 물고기

3일 개념 확인하기

정답과 풀이 2쪽

1 다음 중 강가나 호숫가에서 사는 동물을 두 가지 고르시오. (　　　,　　　)

① 
▲ 물방개

② 
▲ 수달

③ 
▲ 붕어

④ 
▲ 개구리

2 다음 보기에서 오른쪽의 다슬기를 관찰한 내용으로 옳은 것을 골라 기호를 쓰시오.

보기
㉠ 딱딱한 껍데기로 덮여 있습니다.
㉡ 지느러미로 헤엄을 쳐서 이동합니다.
㉢ 발가락에 물갈퀴가 있어서 헤엄을 잘 칩니다.

(　　　　　　　　)

3 다음은 붕어와 같은 물고기가 물속에서 생활하기에 알맞은 점에 대한 설명입니다. ㉠과 ㉡에 들어갈 말을 바르게 짝지은 것은 어느 것입니까? (　　　)

붕어와 같은 물고기는 [㉠]이/가 있어서 물속에서 숨을 쉴 수 있고, [㉡]이/가 있어 물속에서 헤엄을 잘 칠 수 있습니다.

	㉠	㉡		㉠	㉡
①	아가미	배 발	②	지느러미	아가미
③	물갈퀴	지느러미	④	지느러미	물갈퀴
⑤	아가미	지느러미			

4 다음의 동물이 사는 곳이 갯벌이면 '갯', 바닷속이면 '바'라고 쓰시오.

(1) 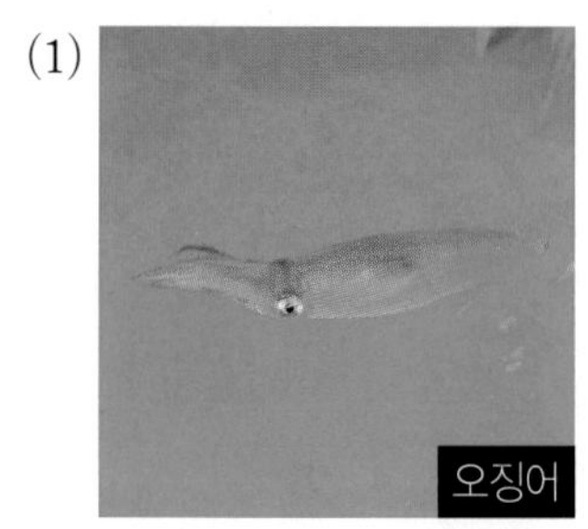
오징어

(   )

(2) 
게

(   )

(3) 고등어

(   )

5 다음 중 바다에서 사는 동물 중에서 딱딱한 껍데기가 있는 것끼리 바르게 짝지은 것은 어느 것입니까? (   )

① 상어, 게
② 조개, 전복
③ 전복, 오징어
④ 고등어, 상어
⑤ 오징어, 상어

똑똑한 하루 퀴즈

6 다음 □ 안에 들어갈 알맞은 낱말을 말 상자에서 찾아 모두 ○표를 하세요. 말 상자의 낱말은 가로, 세로, 대각선에 숨어 있어요.

★	고	배	★
아	성	신	발
가	★	굴	직
미	계	곡	선
용	수	★	녀

1. 물고기는 □□□를 이용하여 숨을 쉼.
2. 다슬기는 □ □을 이용하여 물속 바위에 붙어서 기어 다님.
3. 붕어와 같은 물고기는 몸이 부드러운 □□ 형태(유선형)라서 물속에서 빠르게 헤엄쳐 이동할 수 있음.

4일 날아다니는 동물 / 동물의 특징 활용

진짜 보물 지도는 삼촌 머릿속에?

아버지…….

힘들게 찾은 보물 지도가 물에 젖어서 엉망이 됐어.

근데 걱정 마. 보물 지도는 내가 다 외우고 있으니까!

에헴

꽈당

뭐예요? 그럼 지금까지 헛수고한 거잖아요. 내가 삼촌을 믿은 게 잘못이지.

헛수고라기 보다 보물찾기 연습했다고 생각하면 안 될까?

자, 그럼 진짜로 보물을 찾으려 가보자. 우선 직박구리의 집을 찾아야 해.

으이그~

직박구리요?

새?

저기 직박구리다. 하늘을 자유롭게 나는 **새**들이 부럽다. 왜 저렇게 잘 날지?

새는 날개가 있어서 하늘을 날 수 있어요. 그런데 저건 직박구리가 아니고 박새예요.

직박구리는 저기 있어요.

쌩

어서 쫓아가자.

용어 체크

새

몸이 깃털로 덮여 있고 다리가 두 개이며, 하늘을 날 수 있는 동물을 통틀어 이르는 말

예 갈매기, 박새, 까치와 같은 ❶ ______ 는 부리가 있고 알을 낳아 번식한다.

▲ 하늘을 나는 갈매기

정답 ❶ 새

드디어 보물이 있는 곳이 보인다!

저기 나무 위에 직박구리의 집이 있어요.

엄청 높은 나무다.

몇백 년은 된 나무 같아.

직박구리의 집에 가면 다음 단서를 찾을 수 있을 거야. 내가 갔다 올게.

너무 힘들어. 더는 무리야. 포기 해야 하나?

낑 낑

바닥에서 30 cm도 못 올라갔잖아요.

내가 올라갈게요.

예지야 조심해! 독나방이야.

팔랑 팔랑

와~ 빠르다!

사사삭

이건 나비잖아요.

나비도 하늘을 잘 나는구나.

그야 당연하죠. 나비는 ⓘ곤충인데 두 쌍의 날개가 있어서 잘 날 수 있어요.

예지야, 지도에는 직박구리의 집에서 북쪽을 바라보라고 했어.

북쪽이라면… 어? 혹시 저기?

용어 체크

곤충

몸이 머리, 가슴, 배 세 부분으로 되어 있고 다리가 세 쌍인 동물

예 여름에 친구들과 매미, 메뚜기와 같은 ❶ [ ] 채집을 하였다.

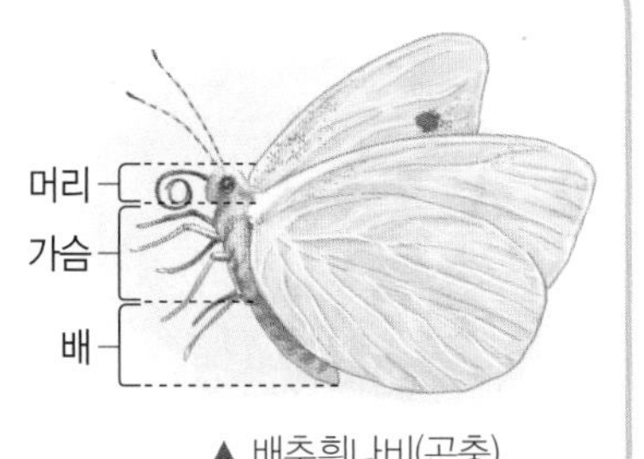

▲ 배추흰나비(곤충)

정답 ❶ 곤충

1 날아다니는 동물의 특징을 알아볼까?

새

새는 몸이 깃털로 덮여 있어.

• 날개가 있음.
• 배와 뺨이 하얀색임.

• 날개가 있음.
• 주로 나무 위에 머무름.

• 날개가 있음.
• 몸이 검은색과 하얀색 깃털로 덮여 있음.

곤충

수컷은 소리를 내.
매미

• 날개는 두 쌍이 있음.
• 나무 사이를 날아다님.

• 날개는 두 쌍이 있음.
• 앉을 때 날개를 붙여서 접음.

• 날개는 두 쌍이 있음.
• 날개가 아주 얇아 빨리 날 수 있음.

날아다니는 동물의 특징
날개가 있고 몸이 비교적 **가벼움**.

☑ 박새와 같은 새와 매미와 같은 곤충은 ❶(날개 / 부리)가 있어 날아다닐 수 있습니다.

2 우리 생활에서 동물의 특징을 활용한 예를 알아볼까?

문어
우리 생활에는 동물의 특징을 활용해 만든 것이 많아!
칫솔걸이
문어 빨판의 특징을 활용한 거울이나 유리에 잘 붙는 칫솔걸이
오리
물갈퀴
물속에서 헤엄을 잘 치는 오리 발의 특징을 활용한 물갈퀴
발가락 사이에 막이 있어요.
수리
집게 차
먹이를 잘 잡고 놓치지 않는 수리 발의 특징을 활용한 집게 차

먹이를 잘 잡고 놓치지 않는 수리 발의 특징을 활용하여 ❷(물갈퀴 / 집게 차)를 만들었습니다.

정답 ❶ 날개 ❷ 집게 차

개념 체크

정답과 풀이 2쪽

1 나비는 두 쌍의 ☐☐가 있어 날아다닐 수 있습니다.

2 날아다니는 동물은 몸이 비교적 ☐☐☐ 특징이 있습니다.

3 물속에서 헤엄을 잘 치는 오리 발의 특징을 활용하여 ☐☐☐를 만들었습니다.

보기
- 다리
- 날개
- 가벼운
- 무거운
- 선풍기
- 물갈퀴

4일 개념 확인하기

○ 정답과 풀이 2쪽

1 다음을 새는 새끼리, 곤충은 곤충끼리 줄로 바르게 이으시오.

(1) 
▲ 까치

• ㉠ 
▲ 나비

(2) 
▲ 매미

• ㉡ 
▲ 직박구리

2 다음 보기에서 잠자리에 대한 설명으로 옳은 것을 골라 기호를 쓰시오.

보기
㉠ 날개가 두껍습니다.
㉡ 날개는 두 쌍이 있습니다.
㉢ 날아다니지 않습니다.
㉣ 몸이 깃털로 덮여 있습니다.

( )

3 다음 중 오른쪽의 물갈퀴를 만드는 데 활용한 동물의 특징은 어느 것입니까? ( )

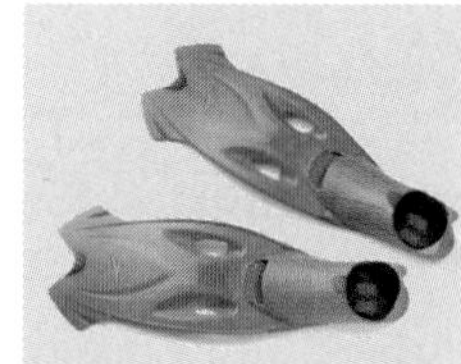

① 수리 발
② 오리 발
③ 문어 빨판
④ 펭귄의 깃털
⑤ 물총새의 부리

날아다니는 동물 / 동물의 특징 활용

4 다음 중 문어 빨판의 특징을 활용하여 만든 것의 기호를 쓰시오.

㉠ 
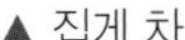
▲ 집게 차

㉡ 
▲ 고속 열차 앞부분

㉢ 
▲ 칫솔걸이

( )

집중 연습 문제 날아다니는 동물의 특징

5 다음 중 직박구리와 잠자리의 공통적인 특징으로 옳은 것은 어느 것입니까? ( )

① 날개가 두 쌍이 있다.
② 몸이 깃털로 덮여 있다.
③ 날개가 있어 날아다닐 수 있다.
④ 몸이 머리, 가슴, 배로 구분된다.
⑤ 주변 환경에 따라 몸 색깔이 변한다.

6 다음은 날아다니는 동물이 날기에 알맞은 특징을 나타낸 것입니다. □ 안에 들어갈 알맞은 말을 쓰시오.

> 날아다니는 동물은 □이/가 있고 몸이 비교적 가벼워 잘 날 수 있습니다.

( )

새와 곤충의 날개의 수는 달라.
날아다니는 동물은 공통적으로 □을/를 가지고 있어.

5일 1주 마무리하기

1 동물의 분류

① 동물의 특징에 따라 분류 기준을 세워 분류할 수 있습니다.

② **분류 기준** : 누가 분류해도 같은 결과가 나오는 것으로 분류 기준을 세워야 합니다.

㉑ 날개가 있는가?, 다리가 있는가?, 알을 낳는가?, 물속에서 살 수 있는가? 등

2 땅에서 사는 동물

① 땅에서 사는 동물

두더지는 삽처럼 생긴 앞다리로 땅속에 굴을 파.

땅 위에서 사는 동물	땅속에서 사는 동물	땅 위와 땅속을 오가며 사는 동물
다람쥐, 공벌레, 소 등	두더지, 지렁이, 땅강아지 등	뱀, 개미 등
다리가 있는 동물은 걷거나 뛰어다니고 다리가 없는 동물은 기어 다님.		

② 사막에서 사는 동물

낙타는 발바닥이 넓어 모래에 발이 잘 빠지지 않아.

낙타	사막여우	도마뱀
등의 혹에 지방이 있어서 먹이가 없어도 며칠 동안 생활할 수 있음.	몸에 비해 큰 귀를 가지고 있어서 체온 조절을 함.	서 있거나 이동할 때 한 번에 두 발씩 번갈아 들어 올리며 열을 식힘.

3 물에서 사는 동물

① 물에서 사는 동물

강가나 호숫가	강이나 호수의 물속	갯벌	바닷속
수달, 개구리 등	물방개, 붕어, 다슬기 등	게, 조개 등	고등어, 오징어, 상어, 전복 등

- 다슬기나 전복은 물속에서 기어 다님.
- 붕어와 같은 물고기는 지느러미가 있어 헤엄을 침.

② 붕어와 같은 물고기가 물속에서 생활하기에 알맞은 점

- 아가미가 있어서 물속에서 숨을 쉴 수 있습니다.
- 지느러미가 있어서 물속에서 헤엄을 잘 칠 수 있습니다.
- 몸이 부드러운 곡선 형태(유선형)라서 물속에서 빨리 헤엄쳐 이동할 수 있습니다.

4 날아다니는 동물 / 동물의 특징 활용

① 날아다니는 동물

새는 몸이 깃털로 덮여 있어.

종류	• 박새, 직박구리, 까치 등과 같은 새 • 매미, 나비, 잠자리 등과 같은 곤충
날기에 알맞은 특징	날개가 있고 몸이 비교적 가벼움.

② 우리 생활에서 동물의 특징을 활용한 예

▲ 문어 빨판의 특징을 활용한 칫솔걸이

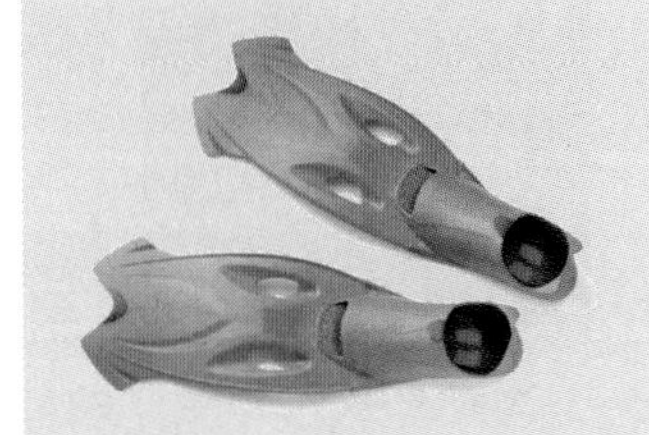

▲ 오리 발의 특징을 활용한 물갈퀴

▲ 수리 발의 특징을 활용한 집게 차

과학 칼럼

날개가 있어도 날지 못하는 새, 타조

타조는 커다란 날개가 있지만 날 수는 없어요. 그 이유는 타조의 몸무게는 100 kg이 넘어 몸이 너무 크고 무겁기 때문이지요. 타조의 날개는 아주 크지만 날기에는 몸에 비해서 너무 작답니다.

타조의 날개는 나는 데 사용하지는 못하지만 여러 가지 역할을 해요. 날개는 추위나 더위로부터 타조의 몸을 지켜주고, 알과 새끼들을 보호하는 데 사용하기도 하지요. 타조가 달릴 때에는 두 날개를 활짝 펴는데, 이것은 날고 싶어서가 아니라 균형을 잡아 더 빠르게 달리기 위해서랍니다.

너도 나처럼 날고 싶구나!
아니거든! 더 빨리 달리려고 날개를 펼친 거라고!

1일 동물의 분류

1 다음은 동물을 분류하는 방법에 대한 설명입니다. □ 안에 들어갈 알맞은 말을 쓰시오.

> 동물을 관찰하고 특징에 따라 분류할 때에는 가장 먼저 분류 □을/를 세워야 합니다.

(　　　　　　　　　　)

2 다음과 같이 동물을 분류한 기준으로 알맞은 것은 어느 것입니까? (　　　　)

▲ 꿀벌　▲ 참새

▲ 토끼　▲ 붕어

① 다리가 있는가?
② 날개가 있는가?
③ 지느러미가 있는가?
④ 귀가 길쭉한 모양인가?
⑤ 물속에서 살 수 있는가?

3 다음 보기에서 뱀, 달팽이, 지렁이의 공통점으로 옳은 것을 골라 기호를 쓰시오.

보기
㉠ 다리가 없습니다.
㉡ 주로 땅속에서 생활합니다.
㉢ 딱딱한 껍데기로 몸을 보호합니다.

(　　　　　　　　　　)

정답과 풀이 2쪽

1주

2일 땅에서 사는 동물

4 다음 중 오른쪽의 공벌레에 대한 설명으로 옳지 않은 것은 어느 것입니까? (   )

① 걸어 다닌다.
② 다리는 일곱 쌍이 있다.
③ 땅 위에서 사는 동물이다.
④ 위험을 느끼면 몸을 둥글게 만다.
⑤ 앞다리가 삽처럼 생겨서 땅속에 굴을 팔 수 있다.

5 다음 중 사막에서 사는 동물의 기호를 쓰시오.

㉠ 
▲ 다람쥐

㉡ 
▲ 사막여우

㉢ 
▲ 까치

(   )

6 오른쪽의 낙타가 사막에서 잘 살 수 있는 까닭을 등에 있는 혹의 특징과 관련지어 쓰시오.

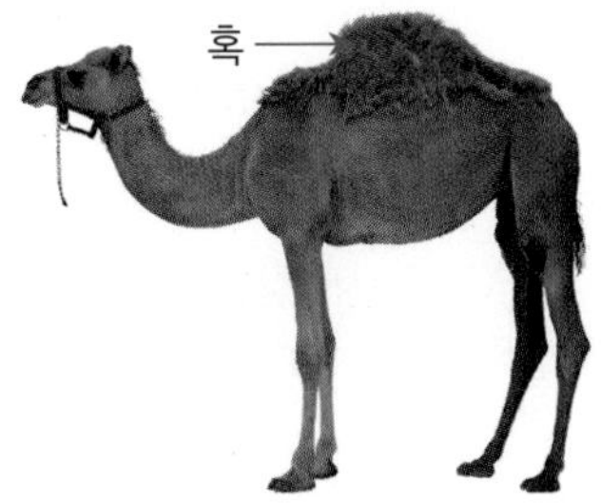

____

____

3일 물에서 사는 동물

7 다음 중 강이나 호수의 물속에서 사는 동물을 두 가지 고르시오. (,)

① 수달 ② 전복 ③ 다슬기
④ 고등어 ⑤ 물방개

8 오른쪽의 붕어가 물속에서 숨을 쉴 수 있는 까닭은 무엇이 있기 때문인지 쓰시오.

( )

9 다음 보기에서 상어가 사는 곳을 골라 기호를 쓰시오.

보기			
㉠ 갯벌	㉡ 바닷속	㉢ 강가나 호숫가	㉣ 강이나 호수의 물속

( )

10 다음 중 오징어에 대한 설명으로 옳은 것은 어느 것입니까? ( )

① 강가에서 산다.
② 발가락에 물갈퀴가 있다.
③ 세 쌍의 다리로 헤엄친다.
④ 머리에 다리 열 개가 있다.
⑤ 딱딱한 껍데기로 덮여 있다.

4일 날아다니는 동물 / 동물의 특징 활용

11 다음 보기에서 날아다니는 동물의 공통적인 특징으로 옳은 것을 골라 기호를 쓰시오.

보기
㉠ 모두 깃털로 덮여 있습니다.
㉡ 날개가 있고 몸이 비교적 가볍습니다.
㉢ 물갈퀴가 있어 헤엄을 잘 칠 수 있습니다.

( )

12 오른쪽의 집게 차는 어떤 동물의 발의 특징을 활용하여 만든 것인지 쓰시오.

( )

13 다음 십자말풀이를 해 보세요.

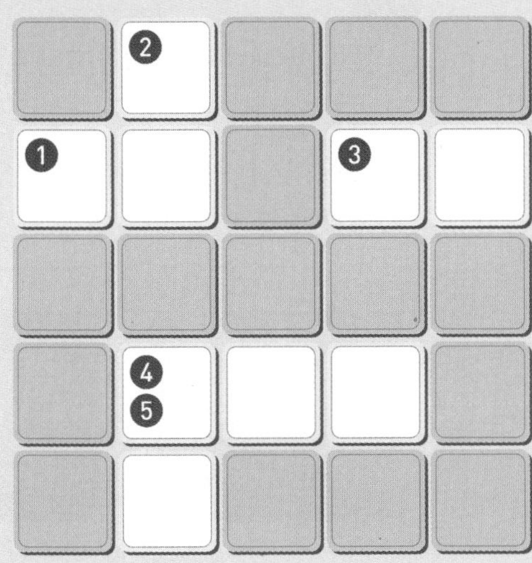

가로

① 딱딱한 껍데기가 있고 갯벌에서 사는 동물
③ 칫솔걸이는 □□ 빨판의 특징을 활용하여 만든 것임.
④ 땅속에서 사는 동물로 피부가 매끄러움.

세로

② 까치는 □□가 있어서 날아다닐 수 있음.
⑤ 낙타는 등의 혹에 □□이 있음.

1주 누구나 100점 TEST

맞은 개수 /10개

1 다음 중 동물을 특징에 따라 분류할 때 분류 기준으로 가장 알맞은 것은 어느 것입니까? ( )

① 다리가 있는가?
② 몸이 큰 편인가?
③ 생김새가 예쁜가?
④ 날개가 아름다운가?
⑤ 다리가 짧은 편인가?

2 다음 각 동물 무리의 공통된 특징에 맞게 줄로 바르게 이으시오.

(1) 붕어, 고등어 • • ㉠ 지느러미가 있음.

(2) 다람쥐, 개구리 • • ㉡ 지느러미가 없음.

3 다음 보기에서 땅속에서 사는 동물끼리 바르게 짝지어진 것을 골라 기호를 쓰시오.

보기

㉠ 소, 뱀　㉡ 개미, 다람쥐
㉢ 지렁이, 공벌레　㉣ 두더지, 땅강아지

( )

4 다음은 낙타가 사막에서 잘 살 수 있는 까닭에 대한 설명입니다. 옳은 것에는 ○표, 옳지 않은 것에는 ×표를 하시오.

(1) 등의 혹에 물이 있어서 먹이가 없어도 며칠 동안 생활할 수 있습니다. ( )
(2) 발바닥이 넓어 모래에 발이 잘 빠지지 않습니다. ( )
(3) 콧구멍이 항상 막혀 있어 모래바람이 불어도 콧속으로 모래가 잘 들어가지 않습니다. ( )

5 다음은 사막에서 사는 동물입니다. 각 동물이 사막에서 살기에 알맞은 점을 보기에서 골라 기호를 쓰시오.

보기

㉠ 몸에 비해 큰 귀를 가지고 있어서 체온 조절을 합니다.
㉡ 서 있거나 이동할 때 한 번에 두 발씩 번갈아 들어 올리며 열을 식힙니다.

(1) 도마뱀 ( )

(2) 
사막여우 ( )

1 주

6 다음의 붕어가 물속에서 헤엄을 칠 때 이용하는 ㉠ 부분의 이름은 어느 것입니까? (　　　)

① 날개　② 배 발
③ 아가미　④ 물갈퀴
⑤ 지느러미

7 다음 중 아가미로 숨을 쉬는 동물에는 ○표, 아가미로 숨을 쉬지 않는 동물에는 ×표를 하시오.

(1) 
▲ 상어
(　　　)

(2) 

▲ 토끼
(　　　)

(3) 
▲ 다람쥐
(　　　)

(4) 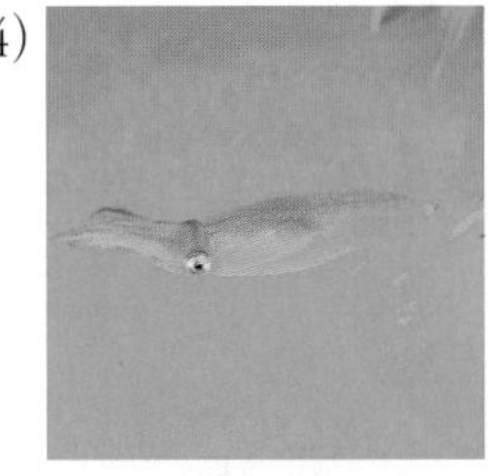
▲ 오징어
(　　　)

8 다음 중 매미에 대해 바르게 설명한 친구의 이름을 쓰시오.

> 미연 : 암컷은 소리를 내.
> 소라 : 몸이 깃털로 덮여 있어.
> 지후 : 날개가 있어서 날아다닐 수 있어.

(　　　)

9 다음 중 하늘을 날아다니는 동물이 아닌 것은 어느 것입니까? (　　　)

① 

② 

③ 

④ 

10 다음 중 칫솔걸이를 만드는 데 활용한 동물의 특징으로 옳은 것의 기호를 쓰시오.

㉠ 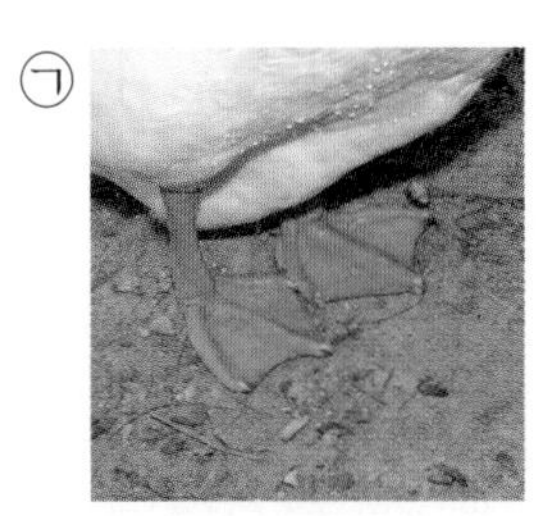
▲ 오리 발

㉡ 

▲ 문어 빨판

(　　　)

1주 특강 생활 속 과학

갯벌과 갯벌에 사는 동물을 알아봅니다.

갯벌에 사는 동물

짜잔! 여기가 갯벌이야. 조개랑 게를 많이 잡아가자고!
푹푹 빠지는데…….
삼촌 저기 봐요. 물고기 같은데 갯벌을 뛰어다니고 있어요!
폴짝
폴짝
이건 다리가 아니라 지느러미라고!
이건 말뚝망둥어라는 물고기야.

말뚝망둥어는 물속에서는 아가미로 숨을 쉬지만 물기만 있으면 물에 들어가지 않고도 공기로 숨을 쉴 수 있어 갯벌 위에서도 어느 정도 살 수 있단다.

삼촌! 여기 구멍이 뽕뽕 나 있어요.
이건 갯지렁이가 만든 구멍이네. 이 구멍들은 갯벌을 깨끗하게 한단다.
낑
스르르
어떻게요?

갯지렁이가 낸 구멍을 통해 산소가 갯벌 속까지 들어가서 갯벌이 썩지 않도록 해줘.
산소
삼촌! 오늘은 좀 달라 보여요.
이제 조개랑 게를 잡으러 가 볼까?
척
에헴
삼촌~ 나도 데려가요!
낑
낑
거기서 혼자 뭐해. 어서 와!

정답과 풀이 4쪽

1 갯지렁이가 설명을 읽고 설명이 옳으면 ○, 옳지 않으면 ×로 표시되어 있는 길을 따라가야 다른 구멍으로 다시 나올 수 있어요. 갯지렁이가 다른 구멍으로 나올 수 있도록 선으로 이어 주세요.

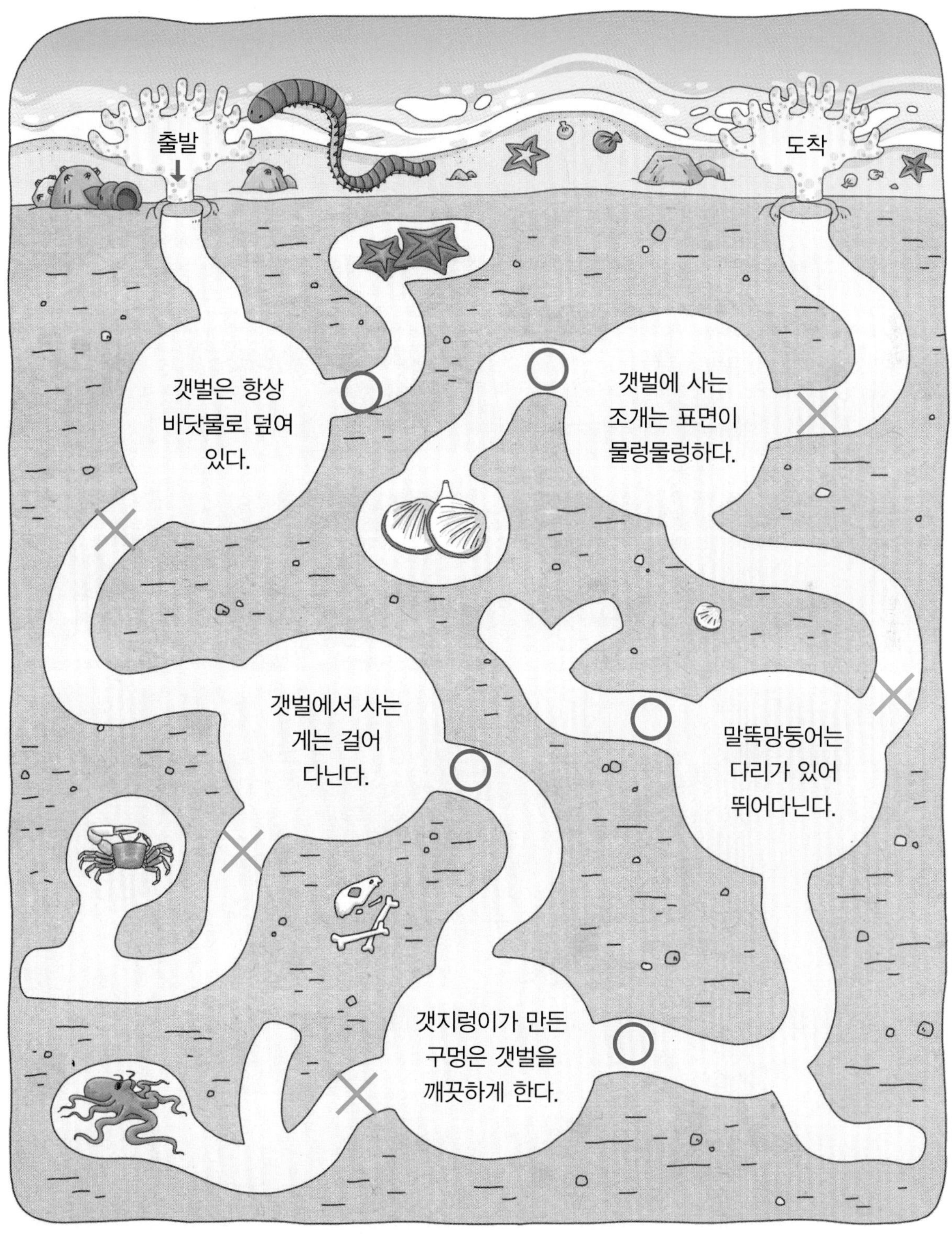

사고 쑥쑥

날아다니는 동물에는 무엇이 있는지 알아봅니다.

2 동물 친구들이 말판 놀이를 하고 있어요. 친구들이 있는 칸에서 주사위를 각각 던졌을 때 나온 수가 다음과 같았을 때 날아다니는 동물이 있는 칸에 도착하게 되는 친구에 ○표 하세요.

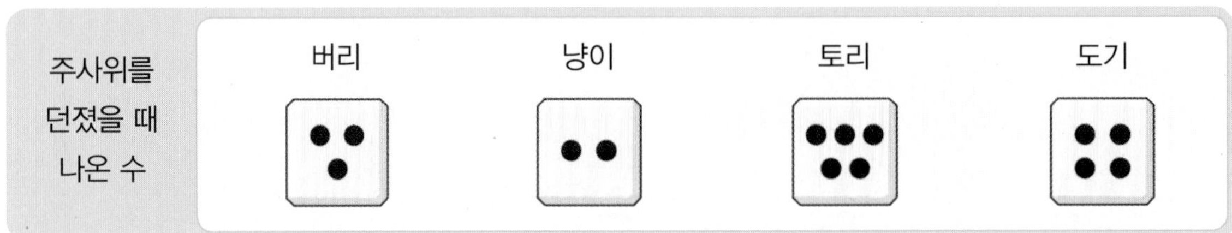

주사위를 던졌을 때 나온 수	버리	냥이	토리	도기
	3	2	5	4

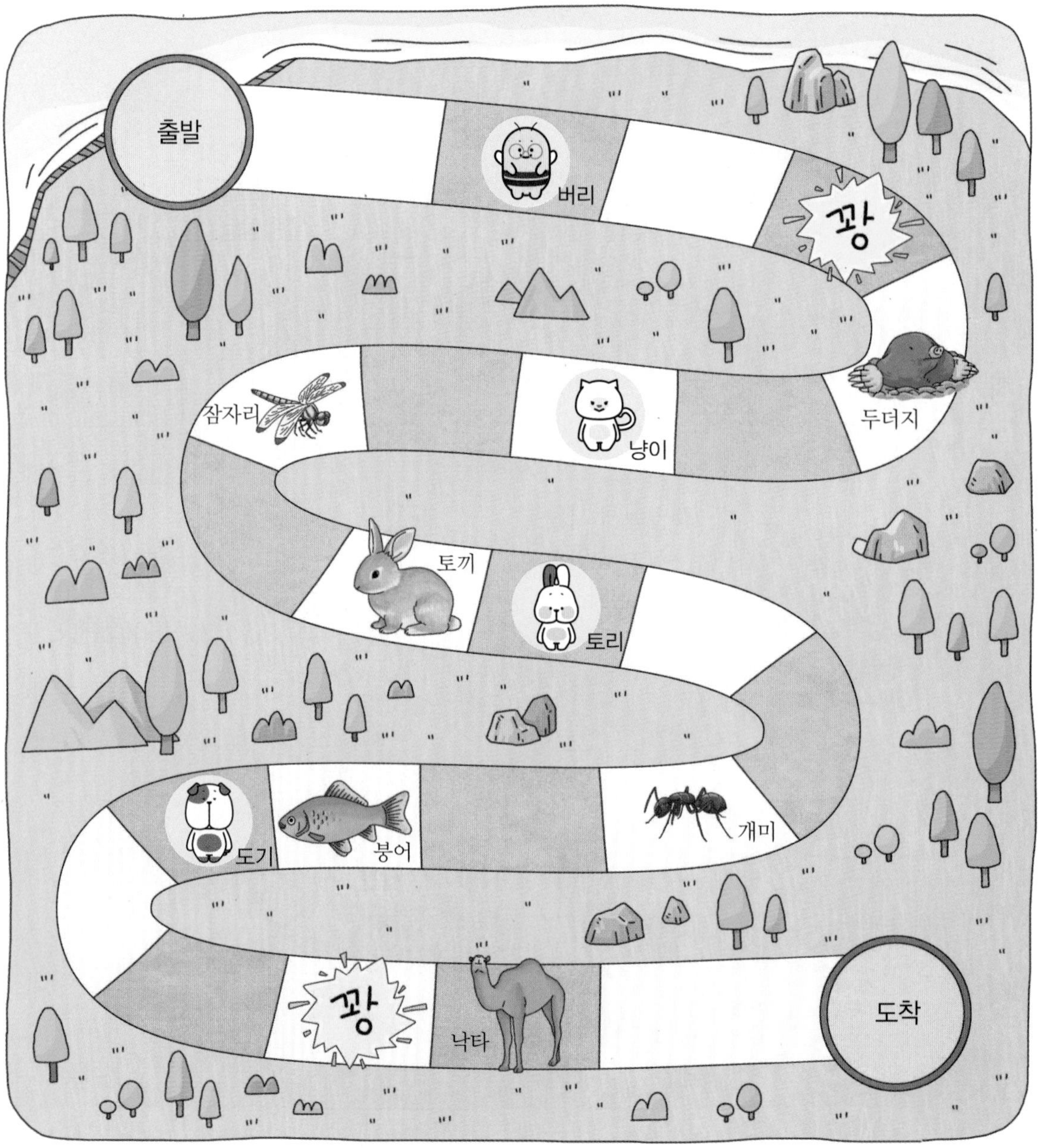

출발 / 버리 / 꽝 / 두더지 / 냥이 / 잠자리 / 토끼 / 토리 / 개미 / 도기 / 붕어 / 꽝 / 낙타 / 도착

동물의 특징을 우리 생활에 어떻게 활용할 수 있을지 알아봅니다.

3 다음 만화를 읽고 예지가 바다를 탐사하는 로봇을 만들 때 활용하기에 가장 알맞은 동물의 특징을 골라 기호를 쓰세요.

㉠ 물총새	㉡ 바다거북	㉢ 두더지
▲ 부리가 길고 머리가 날렵함.	▲ 상하좌우 모든 방향으로 물속에서 헤엄칠 수 있음.	▲ 삽처럼 생긴 앞발로 땅을 잘 팜.

정답

창의·융합·코딩

논리 탄탄

코딩을 통해 여러 가지 동물의 다리의 수를 알아봅니다.

4 다음 코딩 명령어를 보고 낙타가 자기와 다리의 수가 같은 동물이 있는 칸을 모두 지나 물이 있는 오아시스에 도착하도록 코딩을 완성해 보세요. (단, 코딩 명령어는 5개만 사용해야 합니다.)

[코딩 명령어]

↓	아래로 한 칸 이동	↑	위로 한 칸 이동
←	왼쪽으로 한 칸 이동	→	오른쪽으로 한 칸 이동

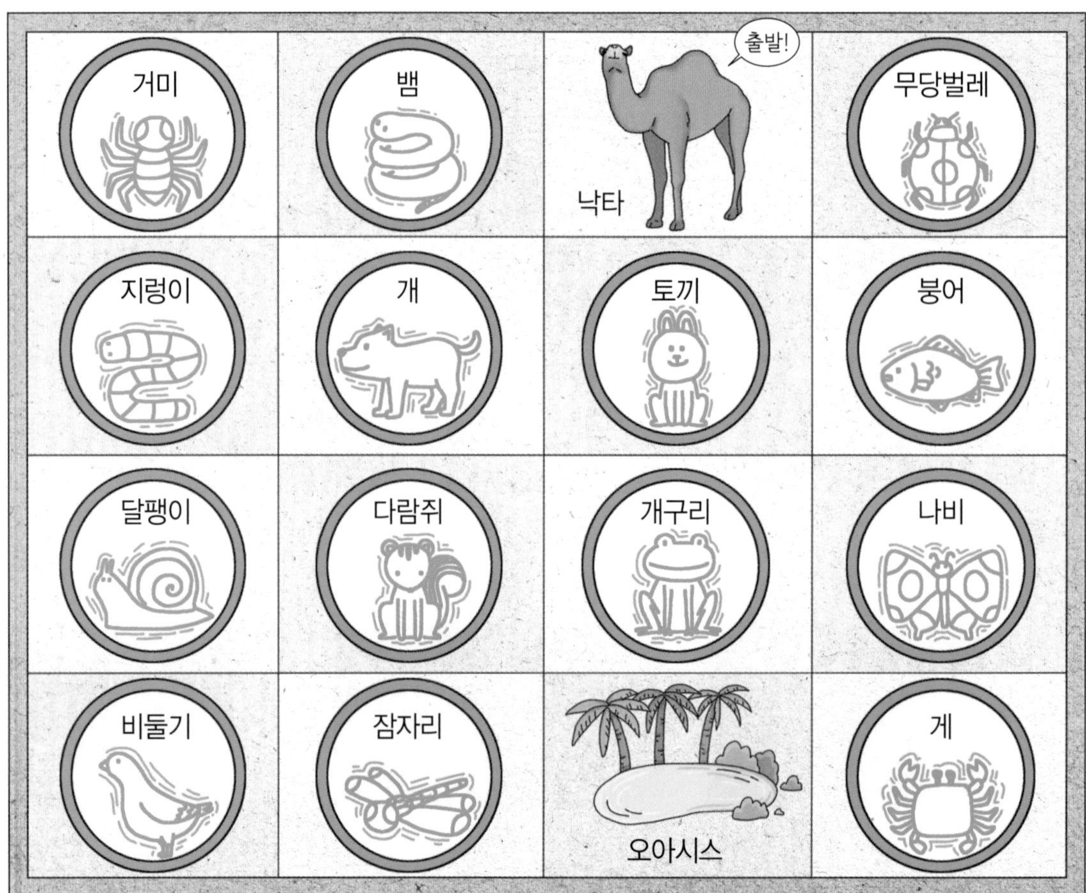

코딩 [ ] → [ ] → [ ] → [ ] → [ ]

5 다음의 지도에서 버리가 도착 칸에 가도록 코딩을 바르게 한 것의 기호를 쓰세요.

㉠
- 아래로 한 칸 이동
- 날개 날아다니는 동물이면 오른쪽으로 한 칸 이동
- 아가미 아가미가 있는 동물이면 아래로 두 칸 이동
- 오른쪽으로 한 칸 이동

㉡
- 오른쪽으로 한 칸 이동
- 아가미 아가미가 있는 동물이면 아래로 두 칸 이동
- 오른쪽으로 한 칸 이동
- 사막 사막에서 사는 동물이면 위로 한 칸 이동

㉢
- 오른쪽으로 한 칸 이동
- 아가미 아가미가 있는 동물이면 아래로 두 칸 이동
- 왼쪽으로 한 칸 이동
- 날개 날아다니는 동물이면 오른쪽으로 한 칸 이동

정답

2주 지표의 변화

2주에는 무엇을 공부할까? ❶

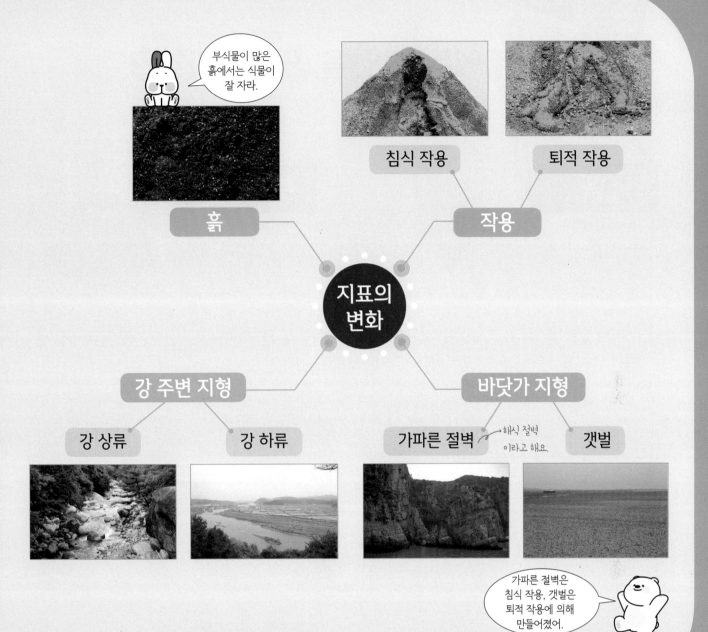

부식물이 많은 흙에서는 식물이 잘 자라.

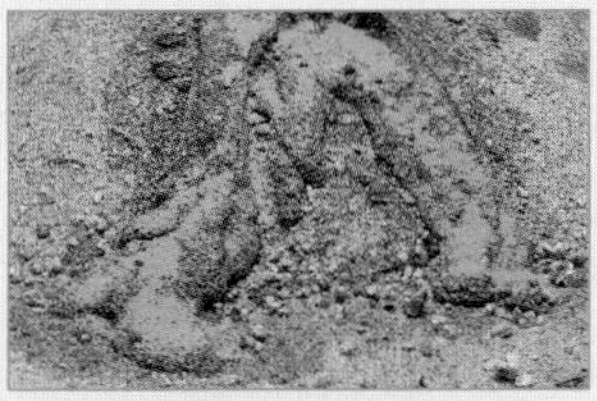

침식 작용

퇴적 작용

흙

작용

지표의 변화

강 주변 지형

바닷가 지형

강 상류

강 하류

가파른 절벽 → 해식 절벽이라고 해요.

갯벌

가파른 절벽은 침식 작용, 갯벌은 퇴적 작용에 의해 만들어졌어.

흙이 만들어지는 과정, 식물이 잘 자라는 흙의 특징, 침식 작용과 퇴적 작용 등에 의해 지표의 모습이 변하는 것을 기억해.

2주	핵심 용어	52쪽
1일	운동장 흙과 화단 흙	54쪽
2일	흐르는 물의 의한 지표 변화	60쪽
3일	강 주변의 모습	66쪽
4일	바닷가 주변의 모습	72쪽
5일	2주 마무리하기	78쪽

2주에는 무엇을 공부할까? ❷

흙

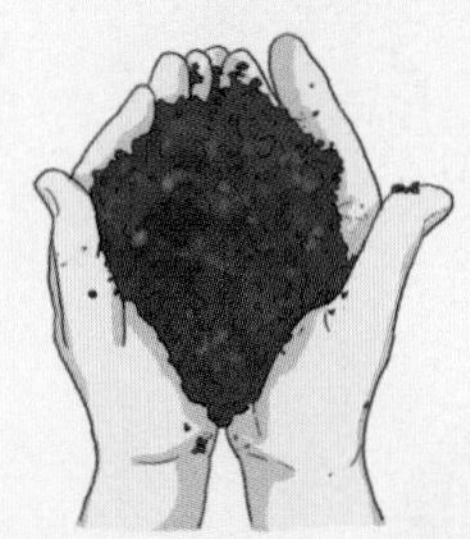

뜻 **바위나 돌이 작게 부서진 알갱이와 생물이 썩어 생긴 물질들이 섞여서 만들어진 것**

예 산에 가면 나무와 같은 식물, 바위, 돌, **흙** 등을 볼 수 있어요.

부식물

腐蝕物

썩을 부 좀먹을 식 물건 물

뜻 **식물의 뿌리나 죽은 곤충, 나뭇잎 조각 등이 썩은 것**

예 화분의 식물을 잘 키우기 위해 **부식물**이 든 흙을 넣어 주기도 해요.

침식 작용

浸蝕作用

잠길 침 좀먹을 식 지을 작 쓸 용

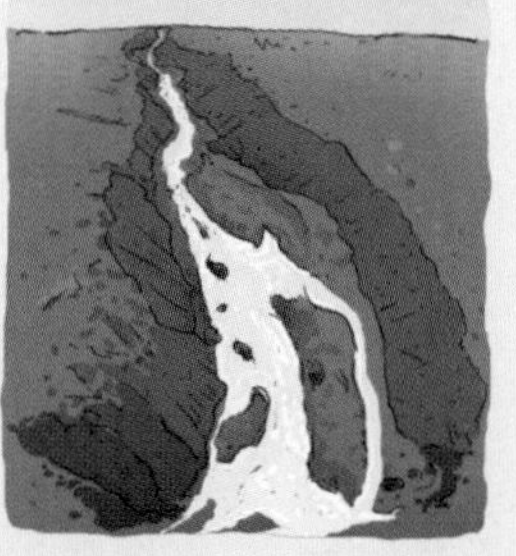

뜻 **지표의 바위나 돌, 흙 등이 깎여 나가는 것**

예 흐르는 물에 의해 나타나는 **침식 작용**, 운반 작용, 퇴적 작용은 보통 동시에 일어나요.

퇴적 작용

堆積作用

쌓을 퇴 쌓을 적 지을 작 쓸 용

뜻 **운반된 돌이나 흙이 쌓이는 것**

예 흐르는 물의 속도가 줄어들면 **퇴적 작용**이 일어나요.

지표의 변화와 관련된 다양한 용어가 있어.
특히 부식물, 침식 작용, 퇴적 작용 등의 용어는 꼭 기억해!

강폭

江 幅

강 강 너비 폭

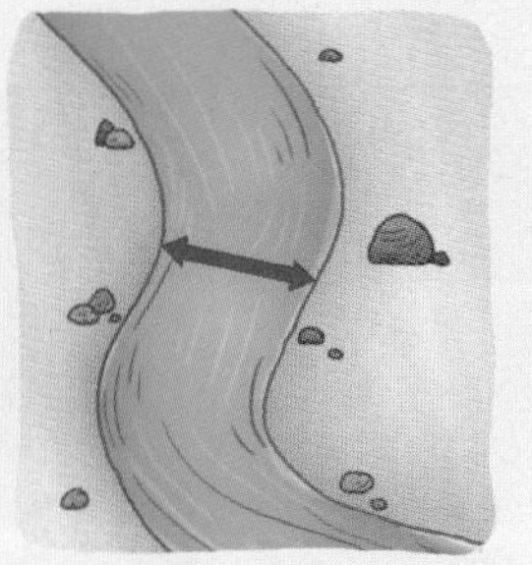

뜻 **강을 가로질러 잰 길이**

예 강 상류는 **강폭**이 좁고, 강 하류로 갈수록 넓어져요.

해식 절벽

海 蝕 絕 壁

바다 해 좀먹을 식 끊을 절 벽 벽

뜻 **파도의 침식 작용에 의해 해안에 생긴 낭떠러지**

예 전라북도 부안의 채석강에 가면 **해식 절벽**을 볼 수 있어요.

해식 절벽은 보통 바닷가에서 바다 쪽으로 돌출된 부분에서 볼 수 있어.

갯벌

뜻 **밀물 때는 물에 잠기고 썰물 때는 물 밖으로 드러나는 바닷가의 넓고 평평한 땅**

예 서해안에서는 썰물로 바닷물이 빠져나가면 **갯벌**을 볼 수 있어요.

상류는 강폭이 좁고
강의 경사가 급해요.
하류는 강폭이 넓고
강의 경사가 완만해요.
그래서 우리 지금
어디로 가는 건데?

1일 운동장 흙과 화단 흙

할아버지께서 남긴 수수께끼

북쪽에 뭐 보이는 거 있니?

삼촌, 지도에 정확히 뭐라고 쓰여 있었어요?

그게……. 「바위나 돌이 부서져 만들어진 것이 있는 위치」를 찾아가라고 써 있어.

바위나 돌이 부서져 만들어진 것이라면, 혹시 그건가?

그게 뭔데?

지금은 잘 모르겠어. 일단 가보면 알 것 같아.

가보면 안다니 그게 무슨 말이야?

여기야. 눈에 띄는 곳은 여기밖에 없었어요.

뭐야? 그냥 바위나 돌이 부서져 만들어진 흙이 쌓인 곳이잖아.

여긴 오래전에 할아버지가 화단을 만들려고 흙을 모아 둔 곳인데. 여기가 맞는 거야?

확실히 흙이 운동장 흙과는 다르긴 하네.

운동장 흙

화단 흙

아버지는 왜 이런 수수께끼를 보물 지도에 넣은 거야.

이건 수수께끼가 아니에요. 과학적인 단서예요.

과학?

용어 체크

흙

바위나 돌이 작게 부서진 알갱이와 생물이 썩어 생긴 물질들이 섞여서 만들어진 것

예 흙이 만들어지는 데는 ❶ ☐ 시간이 걸린다.

화단

꽃을 심기 위하여 흙을 한층 높게 하여 꾸며 놓은 꽃밭

예 운동장 흙보다 ❷ ☐ 흙에서 식물이 잘 자란다.

정답 ❶ 예 오랜 ❷ 예 화단

흙은 무엇이 변해서 된 것일까?

용어 체크

부식물

식물의 뿌리나 죽은 곤충, 나뭇잎 조각 등이 썩은 것

예 흙에 ❶ [ ] 이 많으면 식물이 잘 자라는 데 도움을 준다.

▲ 부식물이 많은 흙

정답 ❶ 부식물

1일 **개념 익히기**

1 흙은 어떻게 만들어질까?

실험 동영상

자연에서 흙이 만들어지는 과정

▲ 흔들어 줌.

- 가루가 거의 없음.
- 알갱이의 크기가 크고, 뾰족한 부분이 있음.

- 가루가 생겼음.
- 알갱이의 크기가 작아지고, 모양이 달라졌음.

자연에서 흙이 만들어지는 과정

바위와 돌

흙

오랜 시간에 걸쳐 물이나 나무뿌리 등에 의해서 바위나 돌이 작게 부서짐. 작게 부서진 알갱이와 생물이 썩어 생긴 물질들이 섞여서 **흙**이 됨.

자연에서 바위나 돌을 부서지게 하는 것

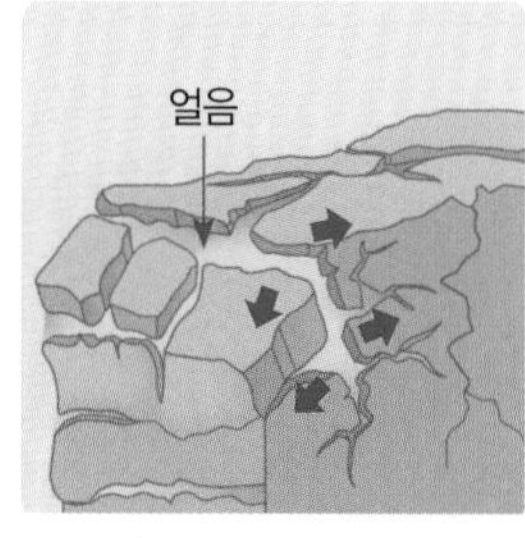

바위틈에 있는 물이 얼었다 녹았다를 반복하면서 바위가 부서져.

바위틈에서 나무뿌리가 자라면서 바위가 부서져.

바위나 돌이 작게 부서진 알갱이와 생물이 썩어 생긴 물질들이 섞여 [1](물 / 흙)이 됩니다.

2 운동장 흙과 화단 흙은 어떻게 다를까?

실험 동영상

운동장 흙과 화단 흙 관찰하기

운동장 흙

밝은 갈색

- 알갱이가 비교적 큼.
- 만지면 거친 느낌이 듦.
- 주로 모래나 흙 알갱이만 보임.

화단 흙

어두운 갈색

- 알갱이가 큰 것도 있고 작은 것도 있음.
- 만지면 약간 부드러운 느낌이 듦.

운동장 흙은 화단 흙보다 알갱이의 크기가 더 크기 때문에 물이 더 빠르게 빠져.

식물이 잘 자라는 흙의 특징

실험 동영상

물에 뜬 물질이 거의 없어요.

▲ 운동장 흙에 물을 넣었을 때

식물의 뿌리, 작은 나뭇가지, 죽은 곤충, 나뭇잎 조각 등 물에 뜬 물질이 많아요.

▲ 화단 흙에 물을 넣었을 때

운동장 흙보다 화단 흙에서 식물이 잘 자라는 까닭

식물의 뿌리나 죽은 곤충, 나뭇잎 조각 등의 물에 뜨는 물질(부식물)이 많기 때문임.

식물의 뿌리나 죽은 곤충, 나뭇잎 조각 등이 썩은 것을 **부식물**이라고 하는데, 식물이 잘 자라는 데 도움을 줘.

화단 흙은 운동장 흙에 비해 ❷(자갈 / 부식물)이 많아 식물이 잘 자랍니다.

정답 ❶ 흙 ❷ 부식물

개념 체크

정답과 풀이 5쪽

1 바위, 돌 등이 작게 부서지고, 생물이 썩어 생긴 물질들과 섞여서 [ ]이 됩니다.

2 운동장 흙은 화단 흙보다 물이 더 [ ][ ][ ] 빠집니다.

3 화단 흙에는 식물의 뿌리, 죽은 곤충, 나뭇잎 조각 등이 [ ][ ]니다.

보기

- 불
- 흙
- 적습
- 많습
- 느리게
- 빠르게

1일 개념 확인하기

정답과 풀이 5쪽

1 오른쪽과 같이 플라스틱 통에 얼음 설탕을 넣고 흔들었을 때의 결과로 옳은 것은 어느 것입니까? (   )

① 가루가 없어진다.
② 알갱이의 크기가 커진다.
③ 알갱이의 크기가 작아진다.
④ 알갱이가 파란색으로 변한다.
⑤ 알갱이의 뾰족한 부분이 많아진다.

2 다음은 자연에서 흙이 만들어지는 과정에 대한 설명입니다. (   ) 안의 알맞은 말에 ○표를 하시오.

> 바위나 돌이 작게 부서진 알갱이와 생물이 썩어 생긴 물질들이 섞여서 흙이 되는데, 바위나 돌은 (오랜 / 짧은) 시간에 걸쳐 작게 부서집니다.

3 다음 중 오른쪽의 자연에서 바위나 돌을 부서지게 하는 것에 대한 설명으로 옳은 것은 어느 것입니까? (   )

나무

① 산성을 띤 빗물이 바위를 녹인다.
② 바위틈에서 나무뿌리가 자라면서 바위가 부서진다.
③ 바람에 날린 모래, 작은 돌 등에 의해 바위가 부서진다.
④ 흐르는 물에 의해 운반되는 자갈에 의해 바위가 부서진다.
⑤ 겨울에 바위틈에 있던 물이 얼었다 녹았다를 반복하면서 바위가 부서진다.

4 다음을 화단 흙과 운동장 흙의 색깔에 맞게 줄로 바르게 이으시오.

(1)	화단 흙 •	• ㉠	밝은 갈색
(2)	운동장 흙 •	• ㉡	어두운 갈색

5 다음 보기에서 오른쪽 화단 흙에 대한 설명으로 옳지 <u>않은</u> 것을 골라 기호를 쓰시오.

보기

㉠ 만졌을 때의 느낌은 약간 부드럽습니다.
㉡ 운동장 흙보다 물이 더 빠르게 빠집니다.
㉢ 알갱이는 큰 것도 있고 작은 것도 있습니다.
㉣ 흙 속에 식물의 뿌리나 나뭇잎 조각과 같은 여러 물질이 섞여 있습니다.

(　　　　　　　　)

집중 연습 문제 화단 흙에서 식물이 잘 자라는 까닭

6 다음은 운동장 흙과 화단 흙에 물을 붓고 저은 뒤 놓아 둔 모습입니다. 각각 어느 흙인지 쓰시오.

(1)

▲ 물에 뜬 물질이 거의 없음.

(　　　　　　　　)

(2)

▲ 식물의 뿌리, 죽은 곤충 등 물에 뜬 물질이 많음.

(　　　　　　　　)

부식물이 많은 흙과 적은 흙은 각각 어느 것일까?

• 부식물이 많은 흙
➔ ○○○

• 부식물이 적은 흙
➔ ○○○○

7 다음은 운동장 흙보다 화단 흙에서 식물이 잘 자라는 까닭에 대한 설명입니다. □ 안에 들어갈 알맞은 말을 쓰시오.

식물이 잘 자라는 흙은 식물의 뿌리나 죽은 곤충, 나뭇잎 조각 등의 물에 □ 물질이 많습니다.

(　　　　　　　　)

식물의 뿌리나 죽은 곤충, 나뭇잎 조각 등이 썩은 부식물은 식물이 잘 자라는 데 도움을 줘.

2일 흐르는 물에 의한 지표 변화

모험의 시작

용어 체크

지표

땅의 표면

예 비가 내리고 나면 ❶ ______ 가 깎여 있는 것을 볼 수 있다.

침식 작용

지표의 바위나 돌, 흙 등이 깎여 나가는 것

예 흐르는 물은 바위, 자갈, 돌 등을 ❷ ______ 시킨다.

정답 ❶ 지표 ❷ 침식

만화로 재미있게 개념 쏙쏙! 용어 쏙쏙!

준비성이 철저한 삼촌

빨리 와. 왜 이리 늦는 거야?

그거야 삼촌 혼자서 우비에 장화까지 신고 있으니까 그렇죠.

맞아 혼자만……. 너무 이기적이야.

이기적? 준비성이 철저하다고 말해줄, 어이쿠!

꽈당

하하하! 쌤통이다.

멈춰지지 않아. 왜 이러지?

빗물이 흘러내려서 더 잘 미끄러지는 거잖아요.

혼자만 장비를 쓴 벌이라고요.

흘러내리던 흙이 멈췄네.

아이고, 멈췄다. 여기가 어디야?

물살이 약해져 흙, 모래 등이 옮겨지는 **운반 작용**이 멈췄어.

휴우

휴~ 운반되던 돌, 흙 등이 쌓이는 **퇴적 작용** 덕분에 살았네. 하마터면 강에 빠질 뻔했어.

어! 여기 쌓인 흙 사이에 뭔가가 있어요.

이건 뭐지?

용어 체크

운반 작용

흙, 모래, 자갈 등이 다른 곳으로 옮겨지는 것

예 흐르는 물은 퇴적물 등을 강 아래쪽으로 ❶ [ ] 한다.

퇴적 작용

운반된 돌이나 흙이 쌓이는 것

예 강 아래쪽에는 운반되어 온 돌, 흙 등의 물질이 ❷ [ ] 된다.

정답 ❶ 운반 ❷ 퇴적

2일 개념 익히기

1 비가 내린 뒤 산의 경사진 곳은 어떻게 변할까?

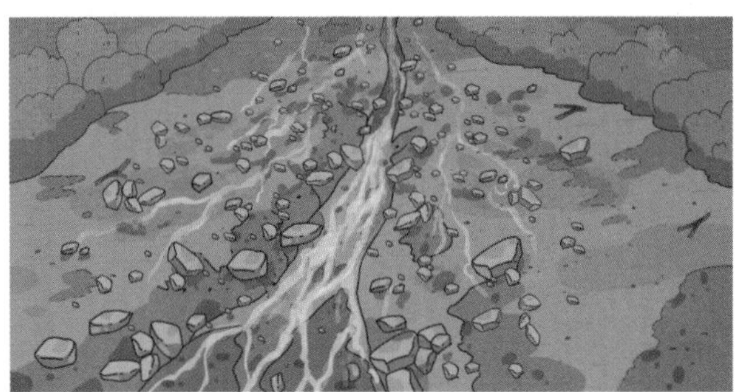

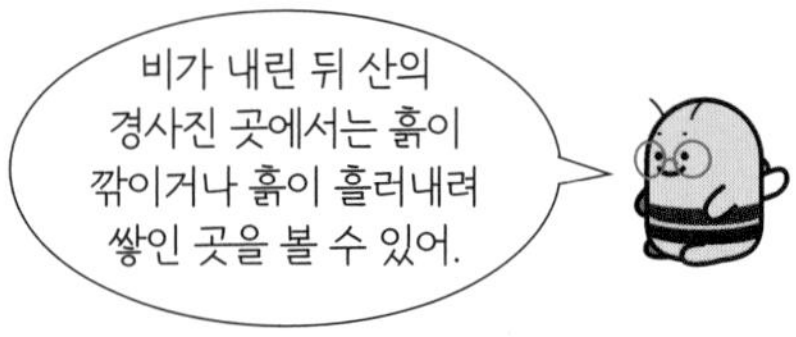

비가 내린 뒤 산의 경사진 곳에서는 흙이 깎이거나 흙이 흘러내려 쌓인 곳을 볼 수 있어.

✔ 비가 내린 뒤 산의 경사진 곳에서는 ❶(철 / 흙)이 깎이거나 흘러내려 쌓인 곳을 볼 수 있습니다.

실험 동영상

2 흐르는 물에 의해 지표의 모습은 어떻게 달라질까?

지표: 땅의 표면

꽃삽으로 흙 언덕 만들기 → 색 모래를 흙 언덕 위에 뿌리기 → 흙 언덕 위쪽에서 물을 흘려보내기

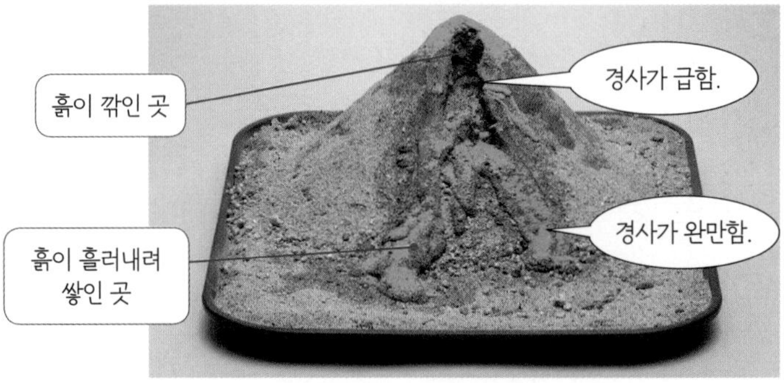

색 모래

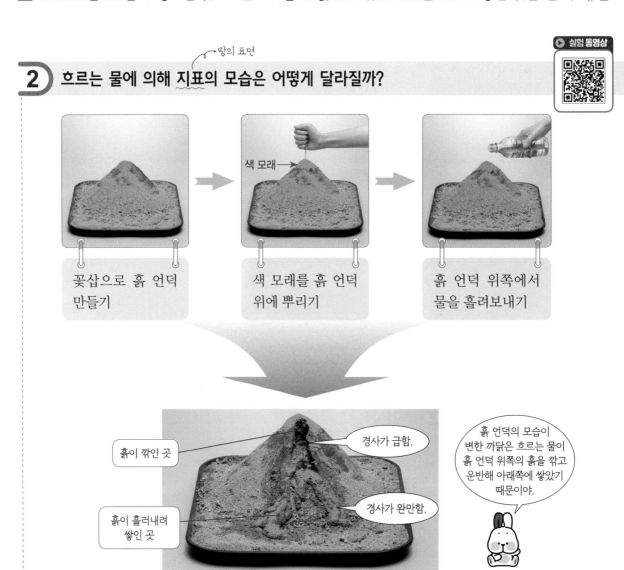

흙이 깎인 곳 / 경사가 급함.

흙이 흘러내려 쌓인 곳 / 경사가 완만함.

흙 언덕의 모습이 변한 까닭은 흐르는 물이 흙 언덕 위쪽의 흙을 깎고 운반해 아래쪽에 쌓았기 때문이야.

✔ 흐르는 물이 경사가 ❷(급 / 완만)한 위쪽 흙을 깎아 ❸(급 / 완만)한 아래쪽으로 옮겼습니다.

3 흐르는 물에 의한 작용에는 무엇이 있을까?

흙, 모래, 자갈을 담아 물이 흐르면서 하는 일을 알아볼 수 있게 만든 상자

유수대 실험을 통해 흐르는 물의 작용을 알 수 있어.

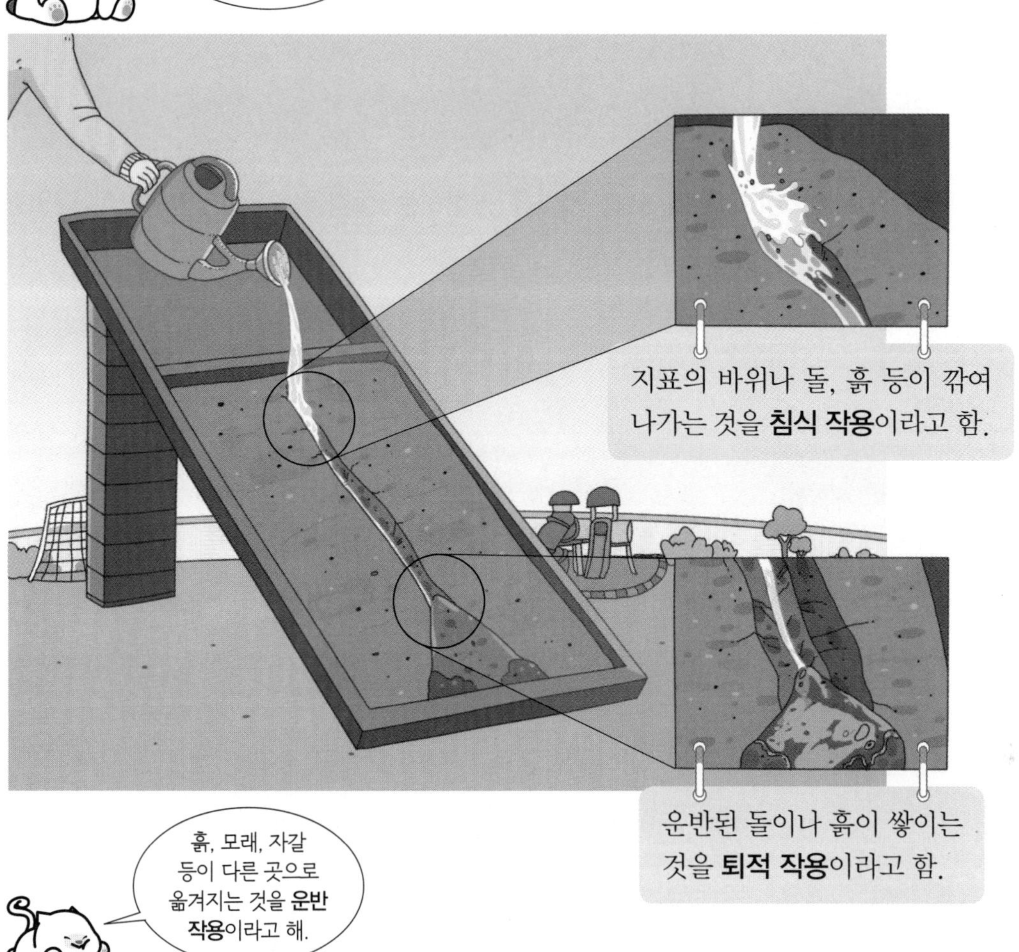

지표의 바위나 돌, 흙 등이 깎여 나가는 것을 **침식 작용**이라고 함.

운반된 돌이나 흙이 쌓이는 것을 **퇴적 작용**이라고 함.

흙, 모래, 자갈 등이 다른 곳으로 옮겨지는 것을 **운반 작용**이라고 해.

흐르는 ❹(물 / 불)에 의한 작용에는 침식 작용, 운반 작용, 퇴적 작용 등이 있습니다.

정답 ❶ 흙 ❷ 급 ❸ 완만 ❹ 물

개념 체크

정답과 풀이 5쪽

1 흙 언덕의 위쪽은 경사가 ☐ 합니다.

2 흙 언덕에 물을 흘려보내면 흙이 깎여 ☐☐ 쪽으로 운반되어 쌓입니다.

3 지표의 바위나 돌, 흙 등이 깎여 나가는 것을 ☐☐ 작용이라고 합니다.

보기
- 급
- 완만
- 위
- 아래
- 침식
- 퇴적

2일 개념 확인하기

정답과 풀이 5쪽

1 다음은 비가 내린 뒤 변화에 대한 내용입니다. ( ) 안의 알맞은 말에 ○표를 하시오.

비가 내린 뒤 산의 경사진 곳에서는 흙이 깎이거나 흙이 흘러내려 (녹은 / 쌓인) 곳을 볼 수 있습니다.

2 다음은 흐르는 물에 의한 지표의 모습 변화를 관찰하는 실험을 순서에 관계없이 나열한 것입니다. 순서에 맞게 기호를 각각 쓰시오.

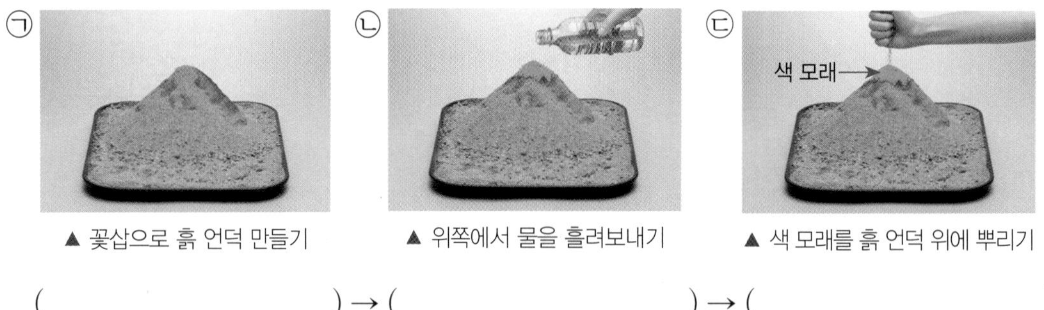

㉠ ▲ 꽃삽으로 흙 언덕 만들기

㉡ ▲ 위쪽에서 물을 흘려보내기

㉢ ▲ 색 모래를 흙 언덕 위에 뿌리기

(   ) → (   ) → (   )

3 다음은 위 **2**번 실험의 결과 모습입니다. 흙 언덕 위쪽의 모습을 골라 기호를 쓰시오.

㉠

▲ 흐르는 물에 의해 흙이 깎임.

㉡

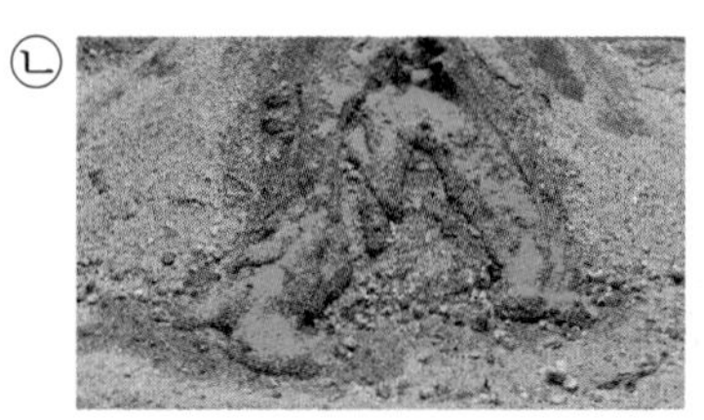

▲ 흐르는 물에 의해 깎인 흙이 흘러 내려 쌓임.

(   )

4 다음은 위 **3**번 답과 관련된 내용입니다. □ 안에 들어갈 알맞은 말을 쓰시오.

흙 언덕의 모습이 변한 까닭은 흐르는 □ 이/가 흙 언덕 위쪽의 흙을 깎고 운반해 아래쪽에 쌓았기 때문입니다.

(   )

[5~6] 다음은 흐르는 물에 의해 나타나는 작용을 알아보는 실험의 모습입니다. 물음에 답하시오.

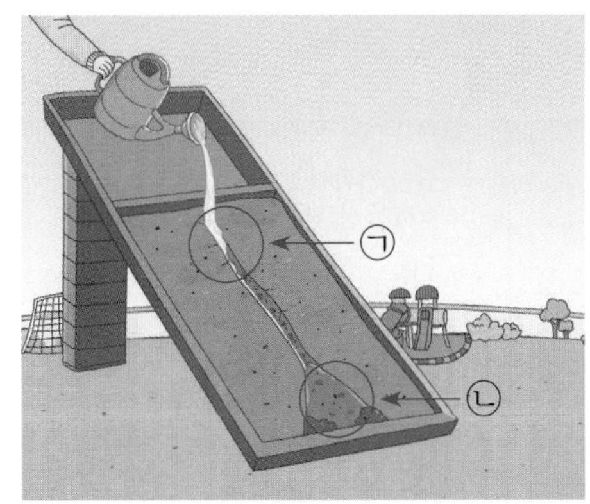

5 위에서 침식 작용이 활발히 일어나는 곳의 기호를 쓰시오.

( )

6 다음에서 설명하는 작용이 일어나는 곳을 위에서 골라 기호를 쓰시오.

운반된 돌이나 흙이 쌓이는 퇴적 작용이 활발히 일어납니다.

( )

7 다음 □ 안에 들어갈 알맞은 낱말을 말 상자에서 찾아 모두 ○표를 하세요. 말 상자의 낱말은 가로, 세로, 대각선에 숨어 있어요.

☆	지	각	☆
경	☆	표	침
사	암	☆	식
퇴	적	운	반

① 땅의 표면. □□
② 흙 언덕의 위쪽은 □□가 급함.
③ 지표의 바위나 돌, 흙 등이 깎여 나가는 것. □□ 작용
④ 운반된 돌이나 흙이 쌓이는 것. □□ 작용

3일 강 주변의 모습

어디까지 올라가야 할까?

용어 체크

상류

강, 하천 등이 시작되는 부분

예 강 ❶ [　　] 에서는 침식 작용이 활발하게 일어난다.

하류

강, 하천 등의 아래쪽 부분

예 강 ❷ [　　] 에서는 퇴적 작용이 활발하게 일어난다.

정답 ❶ 상류 ❷ 하류

그쪽이 아니야!

이러다가 산꼭대기까지 가겠다.
헉 헉
그래, 이런 곳까지 강이 이어졌다는 것이 신기해.

그런데 표지판 쪽으로 가서 뭘 찾는 거지?
그거야 삼촌이 도착하면 알겠지.

아직도 반밖에 오지 않았어.
저런 체력으로 어떻게 탐험가가 되려고 하는지 몰라.
쯧쯧
헉 헉

그러고 보니 강의 하류랑 모습이 다르네.

그렇지, 우선 강폭과 강의 경사가 차이가 나. 하류는 강폭이 넓고 경사가 완만해.

맞아. 상류로 오니깐 강폭이 좁아지고 경사가 급해졌어.
어? 저건 뭐지?

삼촌 너무 늦어요. 여기서 찾는 게 뭐예요?
여기가 아니야, 멈추라는 소리 못 들었어?
헉 헉
뭐라고요?

2 주

용어 체크

강폭
강을 가로질러 잰 길이
예 계곡은 강 상류로 ❶ [ ] 이 좁다.

강의 경사
강이 비스듬히 기울어진 정도
예 금강 하류는 강의 ❷ [ ] 가 완만하고, 모래가 퇴적되어 있다.

정답 ❶ 강폭 ❷ 경사

3일 개념 익히기

1 강폭과 강의 경사는 무엇일까?

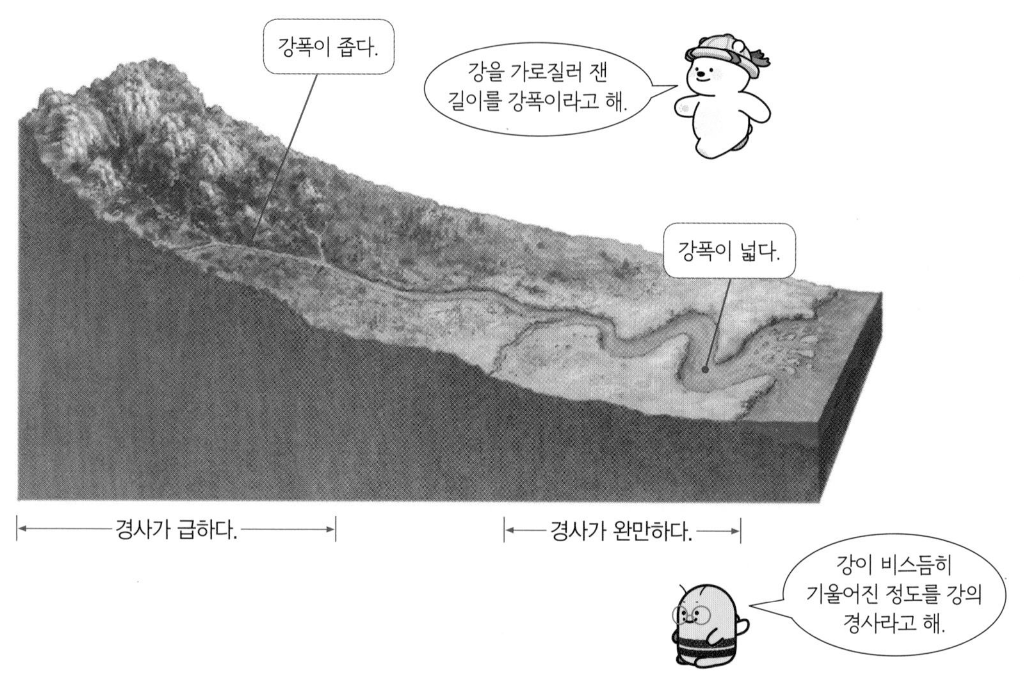

강폭이 좁다.
강을 가로질러 잰 길이를 강폭이라고 해.
강폭이 넓다.
경사가 급하다.
경사가 완만하다.
강이 비스듬히 기울어진 정도를 강의 경사라고 해.

☑ 강을 가로질러 잰 길이는 ❶(강폭 / 강의 경사)이고, 강이 비스듬히 기울어진 정도는 ❷(강폭 / 강의 경사)입니다.

2 강 상류의 모습은 어떨까?

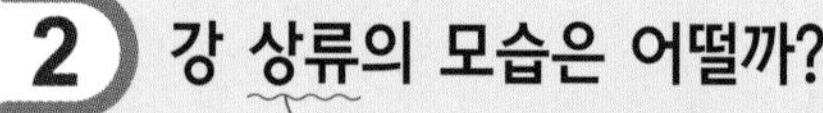

강, 하천 등이 시작되는 부분

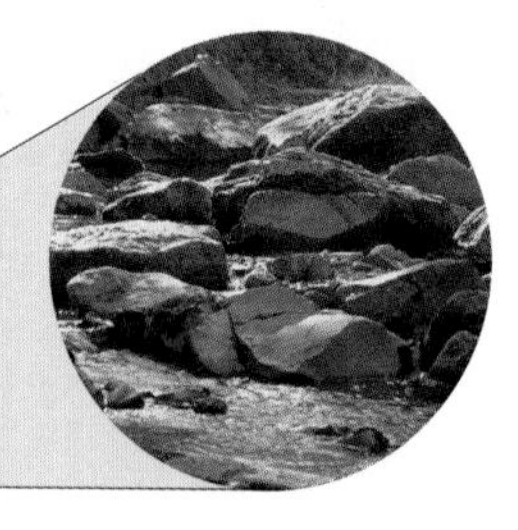

강 상류에서는 바위, 큰 돌, 계곡, 산 등을 볼 수 있어.

- 강폭이 **좁고**, 강의 경사가 **급함**.
- 퇴적 작용보다 **침식 작용**이 활발하게 일어남.

☑ 강 상류는 강폭이 ❸(넓 / 좁)고, 강의 경사가 급합니다.

3 강 하류의 모습은 어떨까?

강, 하천 등의 아래쪽 부분

강 하류의 특징

강 하류에서는 모래나 흙이 쌓여 있는 것, 넓은 평야, 들 등을 볼 수 있어.

- 강폭이 **넓고**, 강의 경사가 **완만**함.
- 침식 작용보다 **퇴적 작용**이 활발하게 일어남.

강 상류보다 강 하류에 모래가 많은 까닭

강 상류에서는 **침식 작용**이 활발하여 지표를 깎고, 강 하류에서는 **퇴적 작용**이 활발하여 운반된 물질이 쌓이기 때문임.

시간이 흐른 뒤 강 주변의 모습 변화

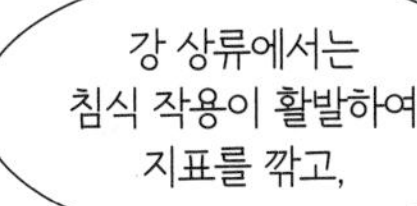

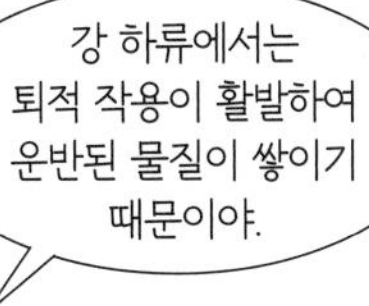

시간이 흐를수록 강 주변의 모습은 서서히 달라져.

강 상류에서는 침식 작용이 활발하여 지표를 깎고,

강 하류에서는 퇴적 작용이 활발하여 운반된 물질이 쌓이기 때문이야.

강 하류는 강폭이 넓고, 강의 경사가 ④(급 / 완만)합니다.

정답 ❶ 강폭 ❷ 강의 경사 ❸ 좁 ❹ 완만

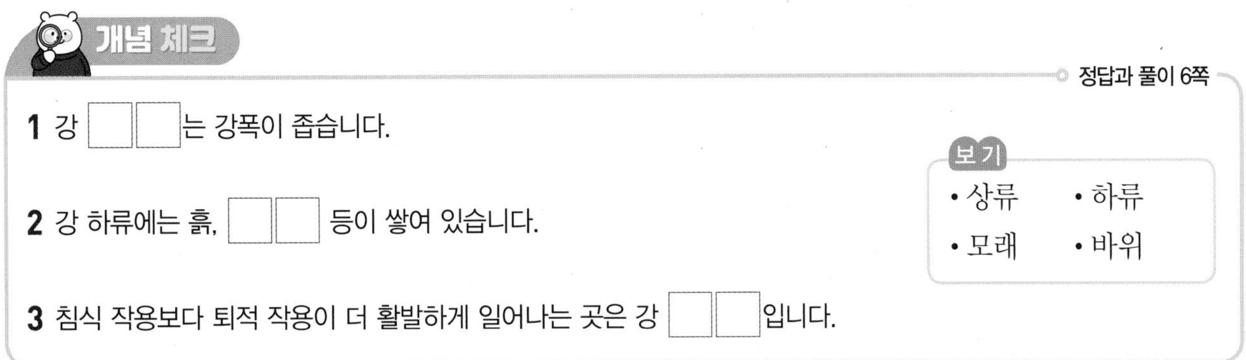

개념 체크

정답과 풀이 6쪽

1 강 ☐☐는 강폭이 좁습니다.

2 강 하류에는 흙, ☐☐ 등이 쌓여 있습니다.

3 침식 작용보다 퇴적 작용이 더 활발하게 일어나는 곳은 강 ☐☐입니다.

보기
- 상류
- 하류
- 모래
- 바위

3일 개념 확인하기

정답과 풀이 6쪽

1 다음 강폭과 강의 경사의 뜻을 줄로 바르게 이으시오.

(1) 강폭 •   • ㉠ 강을 가로질러 잰 길이

(2) 강의 경사 •   • ㉡ 강이 비스듬히 기울어진 정도

2 다음 중 강의 경사가 더 급한 곳을 골라 기호를 쓰시오.

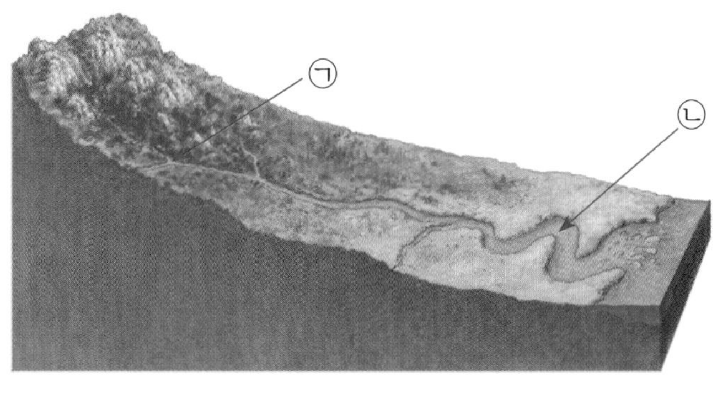

(   )

3 다음 중 강 상류에 대한 설명으로 옳은 것을 두 가지 고르시오. (,   )

① 강폭이 넓다.
② 강폭이 좁다.
③ 강의 경사가 급하다.
④ 강의 경사가 완만하다.
⑤ 퇴적 작용이 활발하다.

4 다음 중 강 상류의 모습으로 옳은 것을 골라 기호를 쓰시오.

㉠

㉡

(   )

5 다음은 강 주변의 모습 변화에 대한 설명입니다. ㉠, ㉡에 들어갈 알맞은 말을 각각 쓰시오.

시간이 흐를수록 강 상류와 강 하류는 흐르는 물에 의해 서서히 모습이 달라질 것입니다. 강 [㉠]에서는 퇴적 작용보다 침식 작용이 활발하여 지표를 깎고, 강 [㉡]에서는 침식 작용보다 퇴적 작용이 활발하여 운반된 물질이 쌓이기 때문입니다.

㉠ ( ) ㉡ ( )

집중 연습 문제 강 하류의 특징

6 다음 중 강 하류에서 볼 수 있는 것을 골라 기호를 쓰시오.

㉠

▲ 모래 등을 볼 수 있음.

㉡

▲ 바위, 큰 돌 등을 볼 수 있음.

( )

계곡, 산, 평야, 들은 강 상류와 강 하류 중 어디에 있을까?

• 계곡, 산
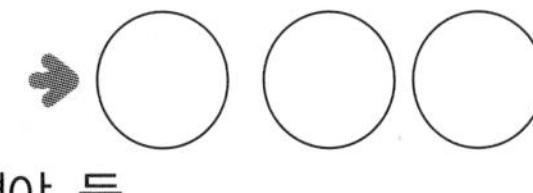

• 평야, 들
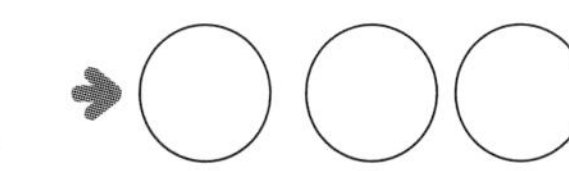

7 다음 중 강 상류보다 강 하류에 모래가 많은 까닭으로 옳은 것은 어느 것입니까? ( )

① 강 상류에서는 모래가 쌓이기 때문이다.
② 강 하류에서는 바위가 운반되기 때문이다.
③ 강 상류에서는 퇴적 작용이 활발하기 때문이다.
④ 강 하류에서는 침식 작용이 활발하여 지표가 깎이기 때문이다.
⑤ 강 하류에서는 퇴적 작용이 활발하여 운반된 물질이 쌓이기 때문이다.

침식 작용과 퇴적 작용은 강의 어느 부분에서 주로 일어나는지 생각해 봐.

4일 바닷가 주변의 모습

이제는 아래쪽으로

용어 체크

해식 절벽(가파른 절벽)

파도의 침식 작용에 의해 해안에 생긴 낭떠러지

예 바닷물이 바위와 만나는 부분을 계속 깎고 무너뜨려서 ❶ ______ 절벽을 만든다.

정답 ❶ 해식

강의 두 갈림길 – 잘못된 선택

용어 체크

모래 해변

모래로 이루어진 해안

예 모래 ❶ ______ 은 주로 해수욕장으로 개발되고 있다.

갯벌

밀물 때는 물에 잠기고 썰물 때는 물 밖으로 드러나는 바닷가의 넓고 평평한 땅

예 ❷ ______ 은 고운 흙이나 모래 같은 작은 것들이 퇴적되어 만들어진다.

정답 ❶ 해변 ❷ 갯벌

4일 개념 익히기

1 바닷가에는 어떤 지형이 있을까?

바닷가에는 가파른 ❶(절벽 / 산맥), 모래, 고운 흙이 넓게 쌓여 있는 곳 등이 있습니다.

2 바닷물의 침식 작용에 의해 만들어진 지형에는 무엇이 있을까?

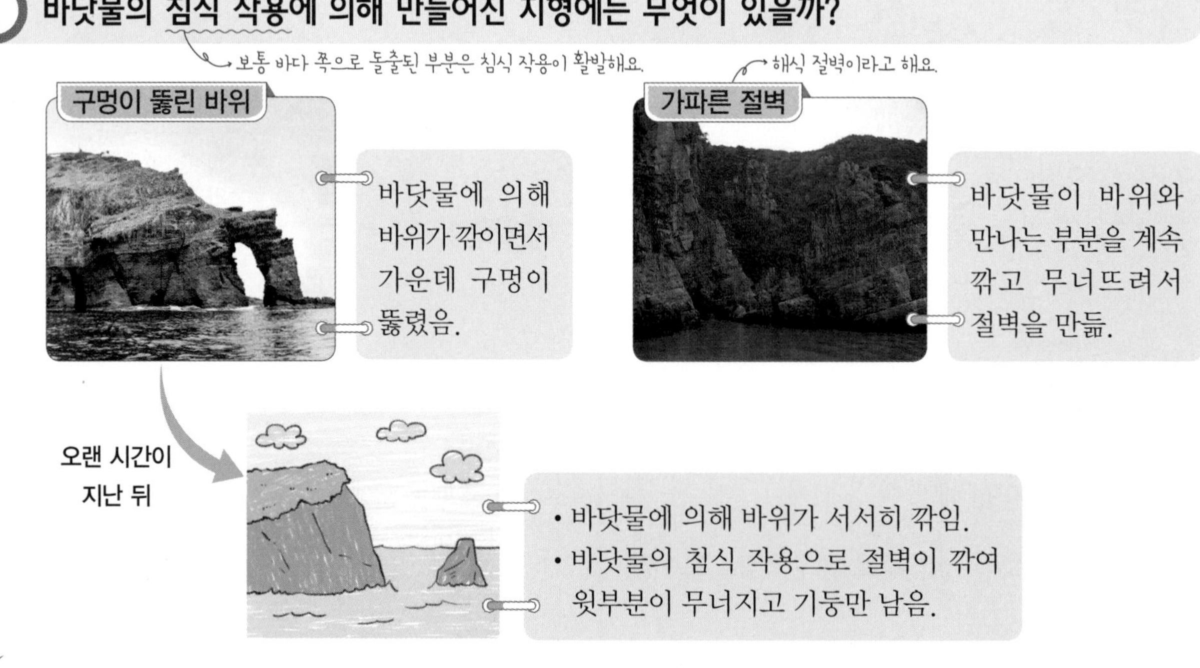

보통 바다 쪽으로 돌출된 부분은 침식 작용이 활발해요.
해식 절벽이라고 해요.
구멍이 뚫린 바위
바닷물에 의해 바위가 깎이면서 가운데 구멍이 뚫렸음.
가파른 절벽
바닷물이 바위와 만나는 부분을 계속 깎고 무너뜨려서 절벽을 만듦.
오랜 시간이 지난 뒤
• 바닷물에 의해 바위가 서서히 깎임.
• 바닷물의 침식 작용으로 절벽이 깎여 윗부분이 무너지고 기둥만 남음.

바닷물의 ❷(침식 / 퇴적) 작용에 의해 구멍이 뚫린 바위, 가파른 절벽 등이 만들어집니다.

3 바닷물의 퇴적 작용에 의해 만들어진 지형에는 무엇이 있을까?

보통 육지 쪽으로 들어간 부분은 퇴적 작용이 활발해요.

모래 해변

바닷물이 모래를 쌓아서 만들어졌음.

갯벌

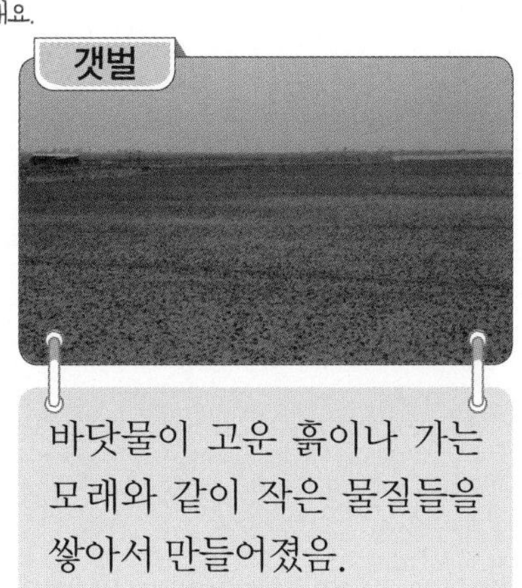

바닷물이 고운 흙이나 가는 모래와 같이 작은 물질들을 쌓아서 만들어졌음.

바닷물의 퇴적 작용으로 모래 해변, ❸(갯벌 / 계곡) 등이 만들어집니다.

4 파도에 의해 지형은 어떻게 변할까?

수조 한쪽에 모래를 쌓고 물 붓기

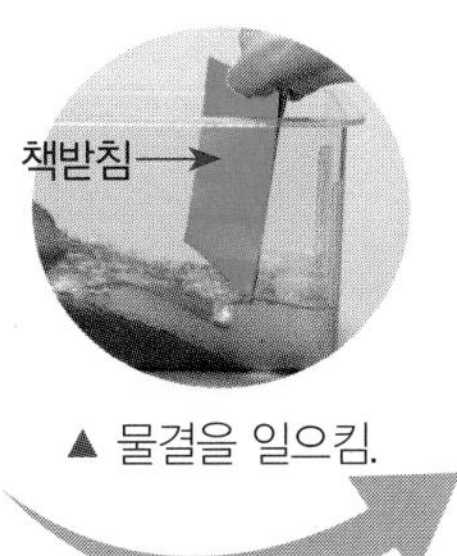

▲ 물결을 일으킴.

쌓여 있던 모래가 깎여 물 안쪽으로 밀려들어가 쌓임.

파도의 작용으로 지형이 변하기도 해.

바닷가에서 ❹(햇빛 / 파도)에 의해 모래가 깎이고, 쌓이기도 합니다.

정답 ❶ 절벽 ❷ 침식 ❸ 갯벌 ❹ 파도

개념 체크

정답과 풀이 6쪽

1 바닷가에 있는 지형들이 만들어지기까지는 ☐☐ 시간이 걸립니다.

2 바닷가의 가파른 절벽은 바닷물의 ☐☐ 작용에 의한 것입니다.

3 바닷가의 모래 해변은 바닷물의 ☐☐ 작용에 의한 것입니다.

보기
- 오랜
- 짧은
- 침식
- 퇴적

4일 개념 확인하기

정답과 풀이 6쪽

1 다음은 바닷가 지형에 대한 설명입니다. □ 안에 들어갈 알맞은 말을 쓰시오.

> 바닷가에서는 바위 가운데에 구멍이 있거나 해안가에 있는 바위가 가파른 □(으)로 깎여 있는 모습 등을 볼 수 있습니다.

(　　　　　　　　)

2 다음은 바닷가 지형에 대한 설명입니다. 옳은 것에는 ○표, 옳지 않은 것에는 ×표를 하시오.

(1) 바닷가 지형에는 모래가 넓게 쌓여 있는 곳이 있습니다. (　　)

(2) 바닷가 지형에는 고운 흙이 넓게 쌓여 있는 곳이 있습니다. (　　)

(3) 바닷가의 여러 지형이 만들어지기까지는 짧은 시간이 걸립니다. (　　)

3 다음 중 오른쪽의 바닷물에 의해 만들어진 지형에 대한 설명으로 옳은 것을 두 가지 고르시오. (　　,　　)

① 가파른 절벽이다.

② 바닷물의 침식 작용으로 만들어졌다.

③ 바닷물의 퇴적 작용으로 만들어졌다.

④ 강물에 의해 바위가 깎여서 만들어졌다.

⑤ 바닷물이 고운 흙이나 가는 모래와 같이 작은 물질들을 쌓아서 만들어졌다.

4 오른쪽과 같이 수조 한쪽에 모래를 쌓고 물을 부은 뒤 책받침으로 파도를 만들었을 때 나타나는 결과로 옳은 것을 다음 보기에서 골라 기호를 쓰시오.

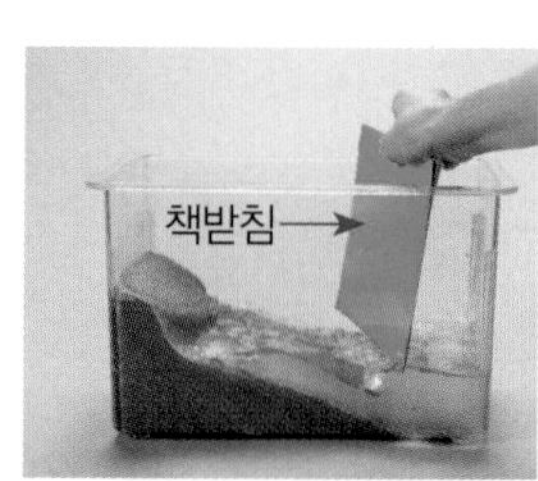

보기

㉠ 모래가 전혀 움직이지 않습니다.

㉡ 모래가 움직여 반대편에 같은 모양으로 쌓입니다.

㉢ 쌓여 있던 모래가 깎여 물 안쪽으로 밀려들어가 쌓입니다.

(　　　　　　　　)

5 다음은 바닷가 주변 모습에 대한 설명입니다. ㉠, ㉡에 들어갈 알맞은 말을 각각 쓰시오.

> 바닷가에는 바다 쪽으로 돌출된 부분과 안쪽으로 들어간 부분이 있는데, 보통 돌출된 부분은 [㉠] 작용이 활발하고, 안쪽으로 들어간 부분은 [㉡] 작용이 활발합니다.

㉠ (   ) ㉡ (   )

집중 연습 문제 바닷물의 침식 작용에 의해 만들어진 지형

6 다음 중 바닷가에 있는 오른쪽 지형에 대한 설명으로 옳은 것을 두 가지 고르시오. (,   )

① 강물의 운반 작용으로 만들어졌다.
② 강물의 퇴적 작용으로 만들어졌다.
③ 바닷물의 퇴적 작용으로 만들어졌다.
④ 바닷물의 침식 작용으로 만들어졌다.
⑤ 바닷물이 바위와 만나는 부분을 계속 깎고 무너뜨려서 절벽을 만들었다.

바닷가에 있는
가파른 절벽이 만들어지는
원인은 무엇인지
생각해 봐.

7 다음은 바닷가에 있는 구멍이 뚫린 바위의 모습이 변한 것에 대한 설명입니다. (   ) 안의 알맞은 말에 ○표를 하시오.

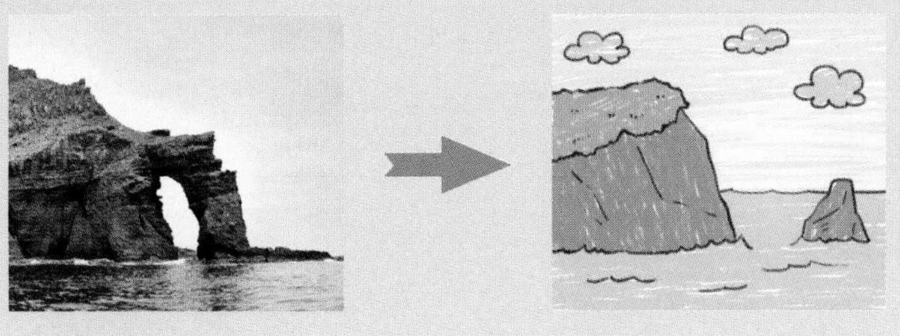

> 바닷가에 있는 구멍이 뚫린 바위는 (오랜 / 짧은) 시간이 지나면 바닷물의 침식 작용으로 절벽이 깎여 윗부분이 무너지고 기둥만 남습니다.

바닷물에 의해
바위가 깎일 때, 서서히
깎일지, 빠르게 깎일지
생각해 봐.

5일 2주 마무리하기 핵심

1 운동장 흙과 화단 흙

① **자연에서 흙이 만들어지는 과정** : 바위나 돌이 작게 부서진 알갱이와 생물이 썩어 생긴 물질들이 섞여서 흙이 만들어집니다.

② **운동장 흙과 화단 흙**

구분	운동장 흙	화단 흙
색깔	밝은 갈색	어두운 갈색
물 빠짐	화단 흙보다 빠름.	운동장 흙보다 느림.
물에 뜬 물질	거의 없음.	식물의 뿌리, 작은 나뭇가지, 죽은 곤충, 나뭇잎 조각 등이 있음.

③ **운동장 흙보다 화단 흙에서 식물이 잘 자라는 까닭** : 식물의 뿌리나 죽은 곤충, 나뭇잎 조각 등의 물에 뜨는 물질(부식물)이 많기 때문입니다.

2 흐르는 물에 의한 지표 변화

① **흙 언덕의 모습 변화** : 주로 흙 언덕의 위쪽에서는 흙이 깎이고, 아래쪽에서는 흙이 흘러내려 쌓입니다.

② **침식 작용과 퇴적 작용**

- 침식 작용 : 흐르는 물에 의해 지표의 바위나 돌, 흙 등이 깎여 나가는 것
- 퇴적 작용 : 흐르는 물에 의해 운반된 돌이나 흙이 쌓이는 것

3 강 주변의 모습

① **강 상류와 강 하류의 특징**

구분	강 상류	강 하류
강폭, 강의 경사	강폭이 좁고, 강의 경사가 급함.	강폭이 넓고, 강의 경사가 완만함.
많이 볼 수 있는 것	바위나 큰 돌, 계곡이나 산 등	모래나 흙이 쌓여 있는 것, 넓은 평야나 들 등

② **강 상류와 강 하류에서 흐르는 물의 작용** : 강 상류에서는 퇴적 작용보다 침식 작용이 활발하게 일어나고, 강 하류에서는 침식 작용보다 퇴적 작용이 활발하게 일어납니다.

4 바닷가 주변의 모습

① 침식 작용으로 만들어진 지형

바닷물의 작용으로 이러한 지형이 만들어지기까지는 오랜 시간이 걸려.

구멍이 뚫린 바위		가파른 절벽(해식 절벽)	
	바닷물에 의해 바위가 깎이면서 가운데 구멍이 뚫렸음.		바닷물이 바위와 만나는 부분을 계속 깎고 무너뜨려서 절벽을 만듦.

② 퇴적 작용으로 만들어진 지형

모래 해변		갯벌	
	바닷물이 모래를 쌓아서 만들어졌음.		바닷물이 고운 흙, 가는 모래와 같이 작은 물질들을 쌓아서 만들어졌음.

자, 퀴즈!
흐르는 물에 의한 작용에는 무엇이 있을까?

나도 그 정도는 안다고!
바위나 돌, 흙 등이 깎여 나가는 **침식 작용**과 운반된 돌이나 흙 등이 쌓이는 **퇴적 작용**이 있잖아.

그럼 흙, 모래, 자갈 등이 다른 곳으로 옮겨지는 것은 무엇이라고 할까?

그건 바로 **운반 작용**이지.

2주 마무리하기

1일 운동장 흙과 화단 흙

1 다음 중 플라스틱 통에 얼음 설탕을 넣고 흔들었을 때 알갱이의 크기가 더 작은 것을 골라 기호를 쓰시오.

㉠

▲ 흔들기 전

㉡

▲ 흔든 뒤

(　　　　　　　　)

2 다음은 무엇이 만들어지는 과정에 대한 설명인지 □ 안에 들어갈 알맞은 말을 쓰시오.

> 오랜 시간에 걸쳐 물이나 나무뿌리 등에 의해서 바위나 돌이 작게 부서지고, 작게 부서진 알갱이와 생물이 썩어 생긴 물질들이 섞여서 □ 이/가 됩니다.

(　　　　　　　　)

3 다음 중 화단 흙의 특징으로 옳은 것을 두 가지 고르시오. (　　　,　　　)

① 어두운 갈색이다.
② 알갱이의 크기가 크다.
③ 주로 모래로 이루어져 있다.
④ 만지면 약간 부드러운 느낌이 든다.
⑤ 운동장 흙에 비해 물이 더 빠르게 빠진다.

4 다음을 각 흙과 물에 넣었을 때 뜨는 물질에 대한 설명에 맞게 줄로 바르게 이으시오.

(1)	화단 흙 •	• ㉠	물에 뜨는 물질이 많음.
(2)	운동장 흙 •	• ㉡	물에 뜨는 물질이 거의 없음.

정답과 풀이 7쪽

5 오른쪽의 화단 흙에서 식물이 잘 자라는 까닭은 무엇인지 쓰시오.

2일 흐르는 물에 의한 지표 변화

6 다음은 색 모래를 흙 언덕 위에 뿌리고 물을 흘려 지표 변화를 알아보는 실험의 결과입니다. 흙이 깎인 곳과 흙이 흘러내려 쌓인 곳의 기호를 각각 쓰시오.

(1) 흙이 깎인 곳 : (　　　　　　　　)

(2) 흙이 흘러내려 쌓인 곳 : (　　　　　　　　)

7 다음 중 위 6번 실험의 결과 흙 언덕의 모습이 변한 까닭으로 옳은 것은 어느 것입니까? (　　　)

① 색 모래가 흙 언덕의 모양을 변하게 했기 때문이다.

② 색 모래가 아래쪽에서 위쪽으로 올라갔기 때문이다.

③ 흐르는 물이 색 모래만 흙 언덕의 아래쪽으로 운반했기 때문이다.

④ 흐르는 물이 흙 언덕의 아래쪽 흙을 위쪽으로 운반했기 때문이다.

⑤ 흐르는 물이 흙 언덕 위쪽의 흙을 깎고 운반해 아래쪽에 쌓았기 때문이다.

8 다음은 흐르는 물에 의한 작용을 정리한 것입니다. ㉠, ㉡ 에 들어갈 알맞은 말을 각각 쓰시오.

흐르는 물에 의한 작용	뜻
㉠	지표의 바위나 돌, 흙 등이 깎여 나가는 것
운반 작용	흙, 모래, 자갈 등이 다른 곳으로 옮겨지는 것
㉡	운반된 돌이나 흙이 쌓이는 것

㉠ (　　　　　　　　) ㉡ (　　　　　　　　)

3일 강 주변의 모습

9 다음 강 상류와 강 하류의 강폭을 >, <를 이용하여 비교하시오.

강 상류  강 하류

10 다음 중 강 상류에서 볼 수 있는 모습이 아닌 것은 어느 것입니까? (　　　)

① 강폭이 좁다.
② 강의 경사가 급하다.
③ 계곡, 산 등을 볼 수 있다.
④ 바위, 큰 돌 등을 볼 수 있다.
⑤ 넓은 평야, 들 등을 볼 수 있다.

11 다음 중 침식 작용보다 퇴적 작용이 활발하게 일어나는 곳의 기호를 쓰시오.

㉠ 

▲ 계곡

㉡ 

▲ 편평한 지형

(　　　　　　　　)

4일 바닷가 주변의 모습

12 다음 중 바닷가에서 볼 수 있는 지형으로 옳은 것에는 ○표, 옳지 않은 것에는 ×표를 하시오.

(1) 모래가 넓게 쌓여 있습니다. ( )

(2) 계곡과 산이 있고, 바위나 큰 돌이 보입니다. ( )

(3) 해안가에 있는 바위가 깎여 가파른 절벽이 되었습니다. ( )

13 다음 중 바닷물의 침식 작용에 의해 만들어진 지형을 골라 기호를 쓰시오.

▲ 갯벌 ▲ 모래 해변 ▲ 가파른 절벽

( )

똑똑한 하루 퀴즈

14 다음 십자말풀이를 해 보세요.

➔가로
❷ 강, 하천 등의 아래쪽 부분
❹ 식물의 뿌리나 죽은 곤충, 나뭇잎 조각 등이 썩은 것
❺ 운반된 돌이나 흙이 쌓이는 것
➔세로
❶ 강, 하천 등이 시작되는 부분
❸ 지표의 바위나 돌, 흙 등이 깎여 나가는 것

1 다음 얼음 설탕을 플라스틱 통에 넣고 흔들 때 얼음 설탕의 크기를 >, <를 이용하여 비교하시오.

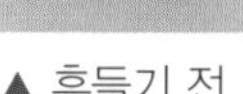
▲ 흔들기 전

▲ 흔든 뒤

2 다음은 자연에서 바위나 돌을 부서지게 하는 것에 대한 설명입니다. (   ) 안의 알맞은 말에 ○표를 하시오.

> 바위틈에 있는 (물 / 불)이 얼었다 녹았다를 반복하거나 바위틈에서 나무 뿌리가 자라면서 바위가 부서집니다.

3 다음은 운동장 흙과 화단 흙 중 어느 것에 대한 설명인지 쓰시오.

> • 어두운 갈색입니다.
> • 만지면 약간 부드러운 느낌이 듭니다.
> • 알갱이가 큰 것도 있고 작은 것도 있습니다.

(   )

4 다음 흙의 종류와 흙을 물에 넣었을 때 물에 뜬 물질을 줄로 바르게 이으시오.

(1)

▲ 화단 흙 •

• ㉠

▲ 물에 뜬 물질이 많음.

(2)

▲ 운동장 흙 •

• ㉡

▲ 물에 뜬 물질이 거의 없음.

5 다음과 같이 흙 언덕 위쪽에서 물을 흘려보냈을 때 색 모래의 이동 방향으로 옳은 것은 어느 것입니까? (   )

① 색 모래는 이동하지 않는다.
② 색 모래가 흙 언덕의 아래쪽에서 위쪽으로 이동한다.
③ 색 모래가 흙 언덕의 위쪽에서 아래쪽으로 이동한다.
④ 색 모래가 흙 언덕의 왼쪽에서 오른쪽으로만 이동한다.
⑤ 색 모래가 흙 언덕의 오른쪽에서 왼쪽으로만 이동한다.

6 다음 흐르는 물에 의한 작용과 그 뜻을 줄로 바르게 이으시오.

(1) 침식 작용 • • ㉠ 운반된 돌이나 흙이 쌓이는 것

(2) 운반 작용 • • ㉡ 지표의 바위나 돌, 흙 등이 깎여 나가는 것

(3) 퇴적 작용 • • ㉢ 흙, 모래, 자갈 등이 다른 곳으로 옮겨지는 것

7 다음과 같은 곳에 대한 설명으로 옳지 않은 것은 어느 것입니까? (　　　)

① 강 상류의 모습이다.
② 계곡, 산 등을 볼 수 있다.
③ 바위, 큰 돌 등을 볼 수 있다.
④ 강폭이 좁고 강의 경사가 급하다.
⑤ 침식 작용보다 퇴적 작용이 활발하게 일어난다.

8 다음은 강 상류보다 하류에 모래가 많은 까닭에 대한 설명입니다. (　　) 안의 알맞은 말에 각각 ○표를 하시오.

강 상류에서는 (침식 / 퇴적) 작용이 활발하여 지표를 깎고, 강 하류에서는 (침식 / 퇴적) 작용이 활발하여 운반된 물질이 쌓이기 때문입니다.

9 다음의 두 지형은 바닷물의 어떤 작용에 의해 생기는지 쓰시오.

▲ 가파른 절벽

▲ 구멍이 뚫린 바위

(　　　　　　　　)

10 다음과 같이 바닷물이 고운 흙이나 가는 모래와 같이 작은 물질들을 쌓아서 만들어진 지형을 무엇이라고 합니까? (　　　)

① 섬　② 들
③ 갯벌　④ 계곡
⑤ 평야

창의·융합·코딩

2주 특강

생활 속 과학

흙이 만들어지는 과정을 알아보고, ○X 문제를 풀며 미로를 통과해 봅니다.

바위나 돌이 흙이 되는 과정

힘든데, 왜 운동을 하자고 하니…….

아함~

삼촌은 운동 부족이에요.

그런데, 흙 색깔이 좀 어두워.

와아~ 좋다!

①

화단 흙이라서 그래. 화단 흙에는 부식물이 포함되어 있거든.

그렇구나.

그런데 흙은 어떻게 만들어져?

처음부터 흙이었던 게 아닐까요?

아니거든!

그럼 어떻게 만들어지는데?

바위나 돌은 오랜 시간에 걸쳐 여러 가지 과정으로 작게 부서져.

바위틈에 있는 물이 얼었다 녹았다는 반복하면서 바위가 부서지기도 하고,

물

얼음

바위틈에서 나무뿌리가 자라면서 바위가 부서지기도 해.

그리고나서 작게 부서진 알갱이와 생물이 썩어 생긴 물질들이 섞여서 흙이 돼.

훗

척

척

1 설명이 옳으면 ○표, 옳지 않으면 X표로 표시된 길을 따라가야 개미가 미로를 통과할 수 있어요. 개미가 미로를 잘 통과해 집에 갈 수 있도록 선을 그어 길을 찾아 주세요.

창의·융합·코딩

2주 특강 사고 쑥쑥

사다리 타기를 하면서 운동장 흙과 화단 흙의 특징을 알아봅니다.

2 다음 흙에 대해 설명한 문장이 옳은 문장이 되도록 사다리 끝에 알맞은 말을 보기에서 찾아 각각 쓰세요.

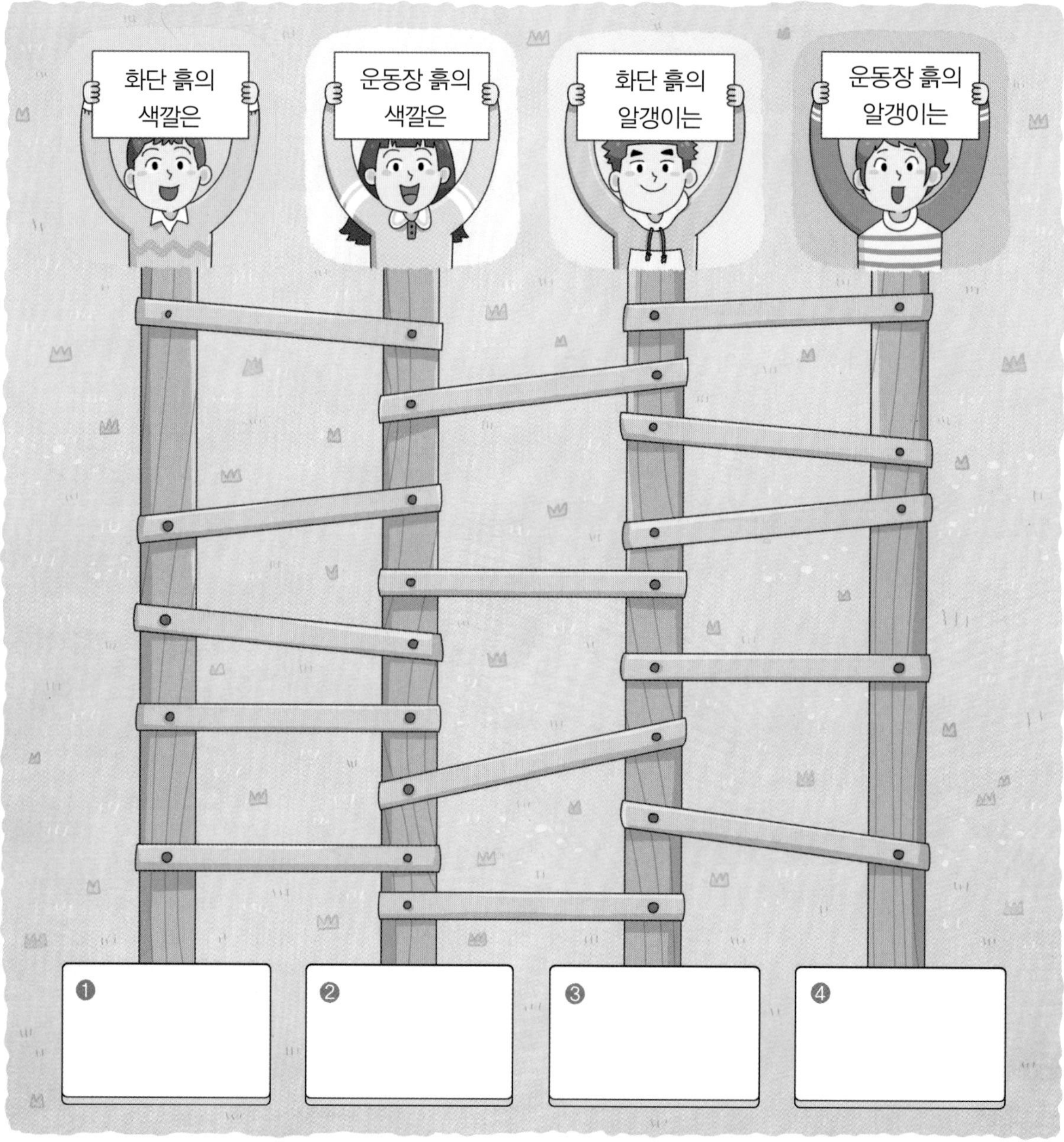

화단 흙의 색깔은

운동장 흙의 색깔은

화단 흙의 알갱이는

운동장 흙의 알갱이는

❶ ❷ ❸ ❹

보기

비교적 크다.
밝은 갈색이다.
어두운 갈색이다.
큰 것도 있고 작은 것도 있다.

줄로 연결하는 문제를 통해 바닷가 지형을 특징을 알아봅니다.

3 다음에서 바닷가 주변에서 볼 수 있는 지형에 대한 설명에 맞게 줄로 바르게 이으세요.

(1) 
갯벌

(2) 
가파른 절벽

(3) 
구멍이 뚫린 바위

㉠ 바닷물에 의해 바위가 깎이면서 가운데에 구멍이 뚫림.

㉡ 바닷물이 바위와 만나는 부분을 계속 깎고 무너뜨려서 절벽을 만듦.

㉢ 바닷물이 고운 흙이나 가는 모래와 같이 작은 물질들을 쌓아서 만들어짐.

(가) 강물의 운반 작용으로 만들어짐.

(나) 바닷물의 침식 작용으로 만들어짐.

(다) 바닷물의 퇴적 작용으로 만들어짐.

2주 특강

다음 암호문을 풀어 흐르는 물에 의한 작용에 대해 알아봅니다.

4 예지와 지민이 산에 오르고 있어요. 둘의 대화를 보고 다음 만화 속 암호문을 풀어 보세요.

암호 해독표

①	②	③	④	⑤	⑥	⑦	⑧	⑨	⑩	⑪	⑫	⑬	⑭
ㄱ	ㄴ	ㄷ	ㄹ	ㅁ	ㅂ	ㅅ	ㅇ	ㅈ	ㅊ	ㅋ	ㅌ	ㅍ	ㅎ

A	B	C	D	E	F	G	H	I	J	K	L	M	N
ㅏ	ㅑ	ㅓ	ㅕ	ㅗ	ㅛ	ㅜ	ㅠ	ㅡ	ㅣ	ㅐ	ㅒ	ㅔ	ㅖ

해독한 암호문

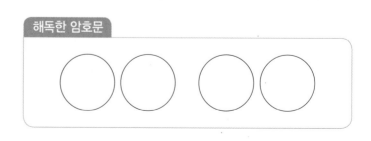

길을 따라 문제를 풀면서 강 주변의 모습에 대해 알아봅니다.

5 다음 질문에 대한 알맞은 대답을 찾아 화살표로 가는 길을 표시해 보세요.

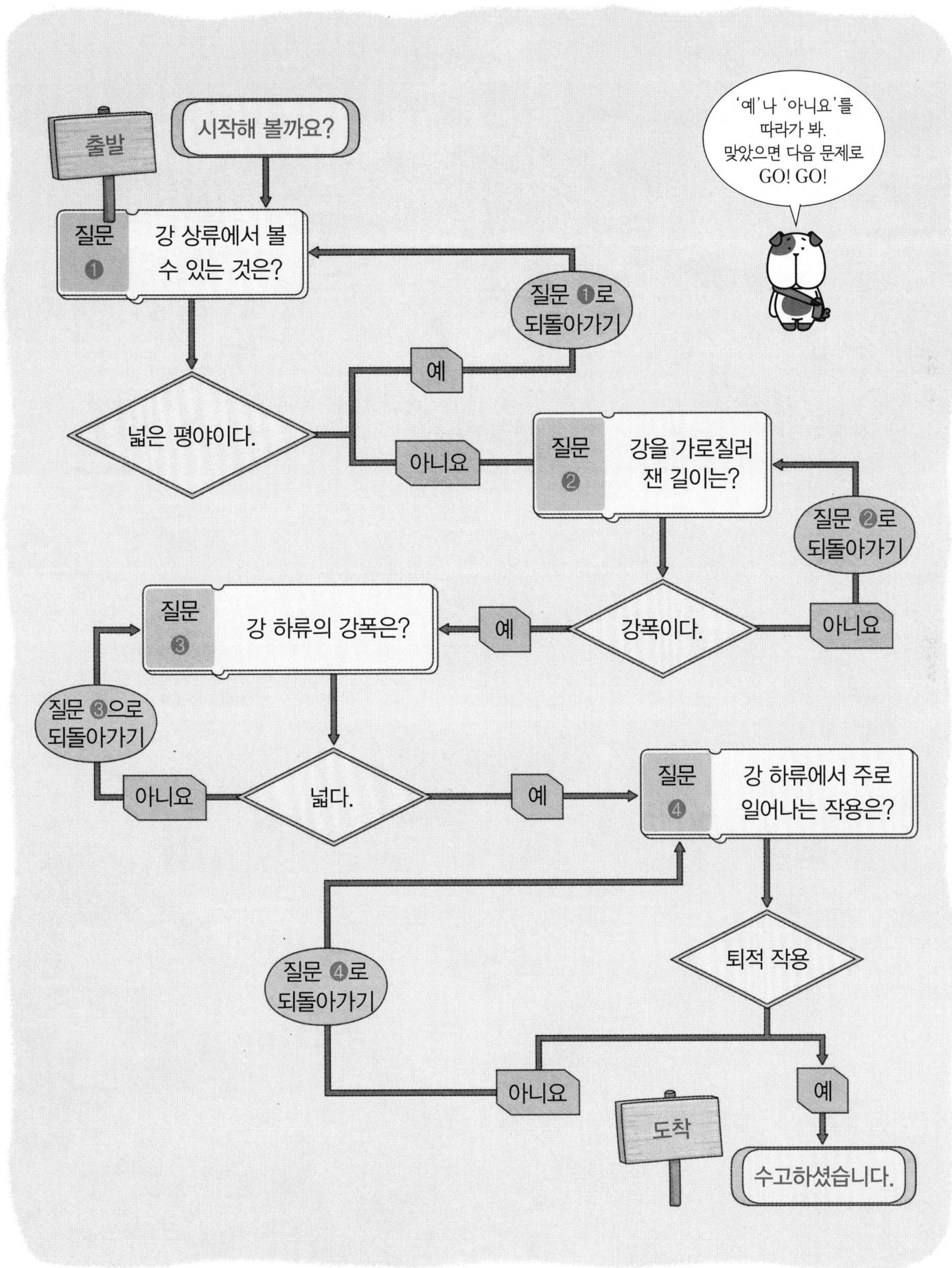

2주

3주 물질의 상태

3주에는 무엇을 공부할까? 1

내가 좋아하는 빵이 많네.
배고파~!
꼬르륵~

잠깐! 퀴즈 하나를 내지. 이 빵을 만드는 재료에는 고체, 액체, 기체가 모두 있어. 재료와 물질의 상태를 맞추는 개수만큼 빵을 사 주겠어.

우선, 밀가루는 가루 알갱이 하나 하나의 모양과 크기가 변하지 않는 고체예요.
우유는 흐르는 성질이 있고 담긴 그릇에 따라 모양이 변하는 액체예요.
똑똑하군!

그런데 빵 만들 때 기체도 필요해요?
빵이 이렇게 부드럽고 폭신폭신한건 빵만들 때 기체도 들어갔기 때문이야.

벌써 뜯어먹다니……. 퀴즈를 맞춰야 빵을 먹게 해 준다니까!
빵 속의 기체는 벌써 소화돼서 나왔어요.
헤
헤
뿌웅~

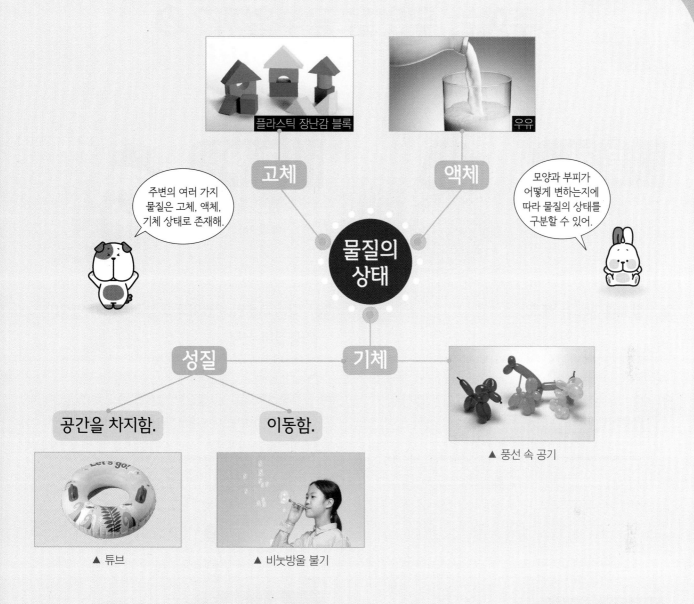

물질의 상태

고체

플라스틱 장난감 블록

액체

우유

기체

풍선 속 공기

성질

공간을 차지함.

▲ 튜브

이동함.

▲ 비눗방울 불기

주변의 여러 가지 물질은 고체, 액체, 기체 상태로 존재해.

모양과 부피가 어떻게 변하는지에 따라 물질의 상태를 구분할 수 있어.

물질은 고체, 액체, 기체 상태로 존재하고 각각의 성질이 다르다는 것 꼭 기억해!

3주	핵심 용어	94쪽
1일	고체 알아보기	96쪽
2일	액체 알아보기	102쪽
3일	공기 알아보기	108쪽
4일	공기의 상태	114쪽
5일	3주 마무리하기	120쪽

3주 핵심 용어

3주에는 무엇을 공부할까? ❷

물질

物 質

물건 물 바탕 질

뜻 물체를 만드는 재료

예 냄비의 손잡이 부분은 열이 전달되지 않는 **물질**로 만들어져 있어요.

고체

固 體

굳을 고 몸 체

고체인 블록으로 장난감 성을 차곡차곡 쌓을 수 있어.

뜻 담는 그릇이 바뀌어도 모양과 부피가 일정한 물질의 상태

예 플라스틱으로 된 장난감 블록은 손으로 잡을 수 있고 모양과 크기가 변하지 않는 **고체**예요.

우유를 컵에 옮겨 담아도 우유의 양은 변하지 않아.

부피

가방의 부피를 더 줄여야 되나?

뜻 물질이 차지하는 공간의 크기

예
- 물이 얼어 얼음이 되면 **부피**가 커져요.
- 자동차의 트렁크에 싣기에 가방의 **부피**가 너무 커요.

액체

液 體

진 액 몸 체

뜻 담는 그릇에 따라 모양은 변하지만 부피가 변하지 않는 물질의 상태

예 우유는 흐르는 성질이 있고, 컵에 담으면 컵 모양으로 변하지만 부피는 변하지 않는 **액체**예요.

물질의 상태와 관련된 다양한 용어가 있어.
특히 고체, 액체, 기체의 성질을 구별해서 기억해!

공기

空 氣
빌 공 기운 기

뜻 **지구를 둘러싼 기체로, 숨을 쉴 때 필요함.**

예
- 숲속의 **공기**는 맑고 상쾌해요.
- 산으로 맑은 **공기**를 쐬러 나가요.

물질의 상태

뜻 **물질이 나타내는 모습으로, 모양과 부피에 따라 고체, 액체, 기체의 상태로 구분됨.**

예 우리 주변의 **물질**은 고체, 액체, 기체의 세 가지 **상태**로 존재해요.

기체는 공간을 가득 채우는 성질이 있어.

기체

氣 體
기운 기 몸 체

뜻 **담는 그릇에 따라 모양과 부피가 변하고, 담긴 그릇을 항상 가득 채우는 물질의 상태**

예 고무풍선을 가득 채운 공기는 **기체** 상태의 물질이에요.

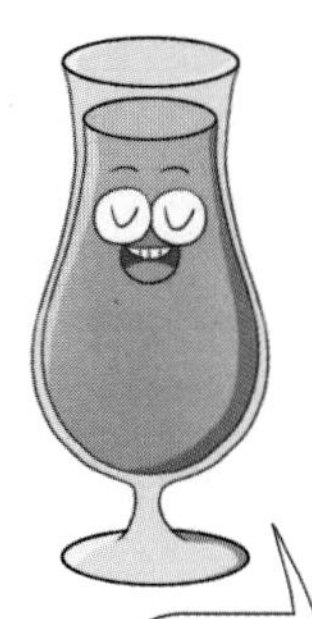

3주

1일 고체 알아보기

편지를 어떻게 전달하지?

간신히 육지에 도착했다.
끄응
헉 헉
도착하면 뭐해? 여기가 어디인지도 모르는데.
정말 여긴 아무것도 없네.
아무래도 무인도인 것 같아.
무인도요? 안돼요. 방학숙제 할 것도 많고 친구들도 만나야 해요.
걱정 마. 내가 좋은 수가 있으니깐.
벌컥 벌컥
마지막 물인데.
물에 뜨는 물질로 구조 요청을 하면 돼.
휙
풍덩
이러면 전달이 안 되는데.
다시 되돌아 왔어!
에휴
그럼 그렇지!
둥 둥
우선 주변의 필요한 물건부터 찾아보자.
그래. 삼촌을 믿다가는 여기서 굶어 죽을지도 몰라.
우릴 구해줘!
휙

용어 체크

물질

물체를 만드는 재료

예 책상의 상판은 가벼우면서도 단단한 ❶ [ ] 인 나무로 되어 있다.

전달

지시, 명령, 물품 따위를 다른 사람이나 기관에 전하여 이르게 함.

예 물은 흘러서 손으로 ❷ [ ] 하기 어렵다.

정답 ❶ 물질 ❷ 전달

튼튼한 고체 냄비는 쓸모가 많아!

저기 뭐가 있어.
가보자!

여기 좀 봐. 물건들이 많이 있어.
쓰레기?
이런 버려진 물건들이 지금 필요할까?
지금은 뭐든지 필요해.

이 냄비는 튼튼한 고체로 아주 훌륭한 도구로 쓸 수 있어.
고체?

고체는 모양과 부피가 일정한 물질의 상태지. 물을 담거나 음식을 해 먹거나 배 안의 물을 밖으로 퍼낼 수 있어.
얘들아, 살려줘!
헉
헉
야옹~
뜨헉
삼촌이 어느새 로빈슨 크루소로 변했어.

용어 체크

고체

담는 그릇이 바뀌어도 모양과 부피가 일정한 물질의 상태

예 나무, 플라스틱은 ❶ ☐ 상태의 물질이다.

부피

물질이 차지하는 공간의 크기

예 고체는 모양과 ❷ ☐ 가 일정한 물질의 상태이다.

정답 ❶ 고체 ❷ 부피

개념 익히기

1 나무 막대, 물, 공기를 비교해 볼까?

관찰한 내용

나무 막대	물	공기

네모 모양으로 연한 갈색이며 딱딱함.	흐르고 투명하며 흔들면 출렁거림.	눈에 보이지 않고, 손에 잡히지 않음.

나무 막대와 물은 눈에 보이지만, 공기는 눈에 보이지 않아.

손으로 전달하면서 관찰한 특징

나무 막대	물	공기

손으로 잡고 전달할 수 있음.	흘러서 전달하기 어려움.	느낌이 없고 전달한 것인지 알 수 없음.

나무 막대, 물, 공기의 상태가 다른 것처럼 우리 주변에 있는 물질의 상태는 서로 달라.

❶(나무 막대 / 물 / 공기)은/는 손으로 잡고 전달할 수 있지만, ❷(나무 막대 / 물 / 공기) 은/는 눈에 보이지 않고 전달하는 느낌이 나지 않습니다.

2 나무 막대는 어떤 상태일까?

나무 막대와 플라스틱 막대 관찰하기

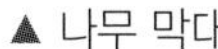

▲ 나무 막대

▲ 플라스틱 막대

공통점
- 비교적 단단함.
- 공간을 차지함.
- 눈으로 볼 수 있음.
- 손으로 잡을 수 있음.

나무 막대를 여러 가지 모양의 투명한 그릇에 넣기

▲ 여러 가지 모양의 투명한 그릇에 나무 막대 넣기

담는 그릇이 바뀌어도 나무 막대의 모양과 크기가 변하지 않아.

고체
- 담는 그릇이 바뀌어도 모양과 부피가 일정한 물질의 상태
- 고체인 물체 : 가방, 책상, 의자, 필통, 색연필, 책, 유리구슬, 페트병, 유리컵 등

모래와 같은 가루 물질도 알갱이 하나하나의 모양과 크기가 변하지 않으므로 고체야.

고체는 담는 그릇이 바뀌어도 모양과 부피가 ❸(일정합니다 / 일정하지 않습니다).

정답 ❶ 나무 막대 ❷ 공기 ❸ 일정합니다

개념 체크

정답과 풀이 9쪽

1 [ ][ ]은/는 눈에 보이지 않고 손에 잡히지 않습니다.

2 고체는 [ ][ ]와/과 부피가 일정합니다.

3 필통과 유리구슬은 [ ][ ]인 물체입니다.

보기
- 나무
- 공기
- 모양
- 색깔
- 고체
- 액체

1일 개념 확인하기

정답과 풀이 9쪽

1 다음 중 나무 막대, 물, 공기에 대한 설명으로 옳은 것에 ○표를 하시오.

(1) 물은 딱딱합니다. ( )
(2) 공기는 눈에 보이지 않습니다. ( )
(3) 나무 막대는 손에 잡히지 않습니다. ( )

2 다음 중 흐르고 투명하며 흔들면 출렁거리는 성질이 있는 것을 쓰시오.

▲ 나무 막대　　▲ 물　　▲ 공기

( )

3 다음은 물과 공기를 손으로 전달하면서 관찰한 특징입니다. ㉠과 ㉡에 들어갈 알맞은 물질을 각각 쓰시오.

> 전달할 수는 있지만 모양이 계속 변하고 흘러내리는 것은 ㉠ 이고, 눈에 보이지 않고 손에 잡히지 않아 전달한 것인지 알 수 없는 것은 ㉡ 입니다.

㉠ ( ) ㉡ ( )

4 다음 중 나무 막대와 플라스틱 막대의 공통적인 특징으로 옳지 않은 것은 어느 것입니까? ( )

① 비교적 단단하다.
② 공간을 차지한다.
③ 눈으로 볼 수 있다.
④ 흐르는 성질이 있다.
⑤ 손으로 잡을 수 있다.

5 다음은 나무 막대를 여러 가지 모양의 그릇에 넣고 모양과 크기의 변화를 관찰한 내용입니다. (　　) 안에 알맞은 말에 ○표를 하시오.

▲ 여러 가지 모양의 투명한 그릇에 나무 막대 넣기

> 여러 가지 모양의 그릇에 넣었을 때 나무 막대의 모양과 크기가 (변합니다 / 변하지 않습니다).

6 다음 중 고체가 아닌 물체는 어느 것입니까? (　　　)

① 

▲ 가방

② 

▲ 책상

③ 

▲ 오렌지 주스

④ 

▲ 유리구슬

똑똑한 하루 퀴즈

7 다음 □ 안에 들어갈 알맞은 낱말을 말 상자에서 찾아 모두 ○표를 하세요. 말 상자의 낱말은 가로, 세로, 대각선에 숨어 있어요.

물	★	공	우
★	기	간	유
고	체	모	★
계	★	액	양

1. 우유과 공기 중 손으로 전달하는 느낌이 없는 것.
2. 고체는 비교적 단단하고, □□을 차지함.
3. 담는 그릇이 바뀌어도 모양과 부피가 일정한 물질의 상태. □□

2일 액체 알아보기

바닷물을 끓여서 먹는 물을 만든다고?

용어 체크

바닷물

바다에 있는 짠물

예 ❶ ( ) 에는 소금뿐만 아니라 여러 가지 물질이 녹아 있어 사람이 그대로 마시기에 적당하지 않다.

증류

액체를 가열하여 생긴 기체를 식혀 다시 액체로 만드는 일

예 바닷물을 끓여 ❷ ( ) 시키면 순수한 물을 얻을 수 있다.

정답 ❶ 바닷물 ❷ 증류

병에 담긴 물을 다른 그릇에 옮겨 담으면?

용어 체크

액체

담는 그릇에 따라 모양은 변하지만 부피가 변하지 않는 물질의 상태

예 물, 사이다, 주스 등은 ❶  상태의 물질이다.

▲ 여러 가지 액체

정답 ❶ 액체

3

주

1 물을 여러 가지 모양의 그릇에 옮겨 담으면서 모양과 부피를 관찰해 볼까?

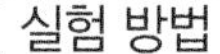

실험 방법

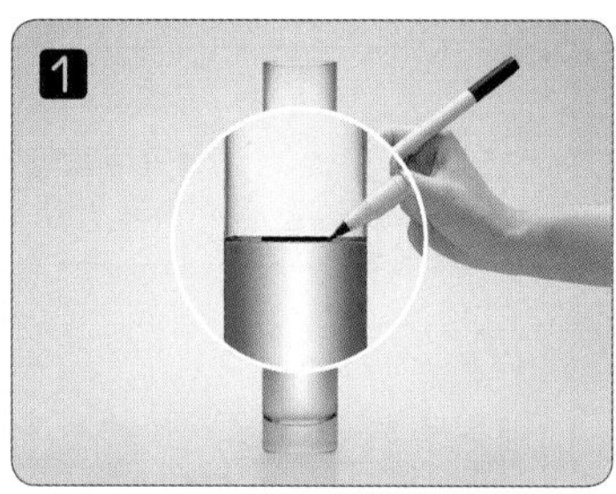

투명한 그릇에 물을 넣은 뒤 물의 높이를 표시하기

물의 모양이 그릇 모양으로 변하고 있어.

다른 모양의 그릇에 물을 부은 뒤 그릇에 담긴 물의 모양 관찰하기

처음에 사용한 그릇에 물을 다시 옮겨 담고 처음 표시한 물의 높이와 비교하기

실험 결과

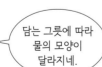

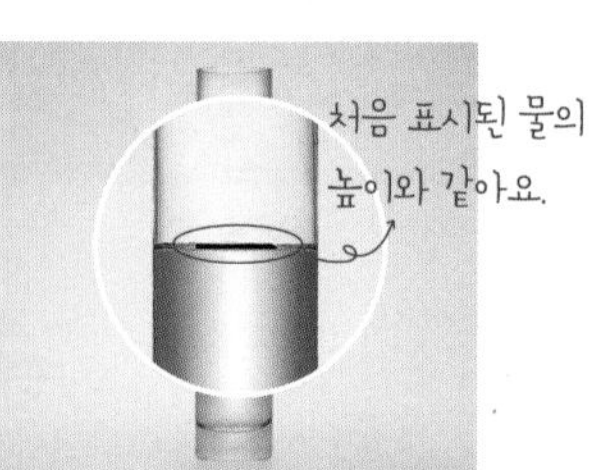

담는 그릇에 따라 물의 모양이 달라지네.

물을 여러 가지 모양의 다른 그릇에 옮겨 담아도 부피는 변하지 않지.

물을 여러 가지 모양의 그릇에 옮겨 담으면 물의 ❶(모양 / 부피)은/는 변하지만, 물의 ❷(모양 / 부피)은/는 변하지 않습니다.

2 주스를 관찰해 볼까?

▲ 여러 가지 모양의 그릇에 담긴 같은 부피의 주스

주스도 담는 그릇에 따라 모양이 달라지지만 부피는 변하지 않아.

☑ 같은 부피의 주스를 여러 가지 모양의 그릇에 담았을 때 모양이 ❸(다릅니다 / 다르지 않습니다).

3 물과 주스는 어떤 상태일까?

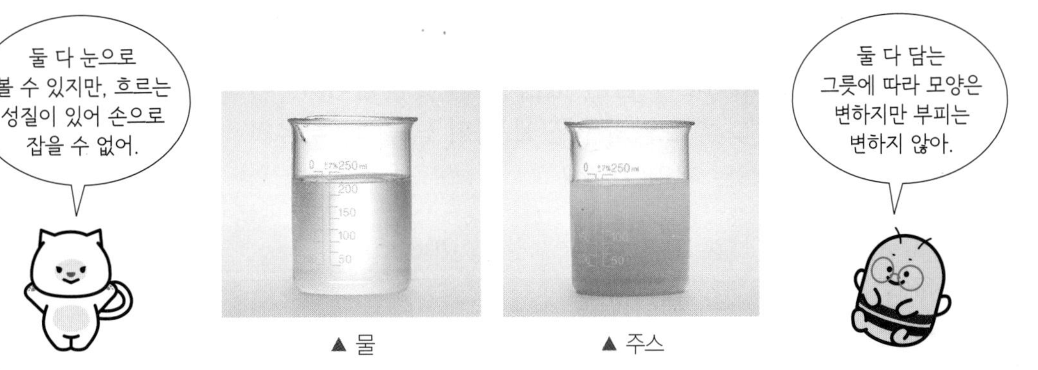

둘 다 눈으로 볼 수 있지만, 흐르는 성질이 있어 손으로 잡을 수 없어.
둘 다 담는 그릇에 따라 모양은 변하지만 부피는 변하지 않아.

▲ 물 ▲ 주스

- 액체 : 담는 그릇에 따라 모양은 변하지만 부피는 변하지 않는 물질의 상태
- 액체인 물체 : 물, 주스, 사이다, 우유, 간장, 식초, 바닷물 등

☑ 담는 그릇에 따라 모양은 변하지만 부피는 변하지 않는 물질의 상태를 ❹(고체 / 액체)라고 합니다.

정답 ❶ 모양 ❷ 부피 ❸ 다릅니다 ❹ 액체

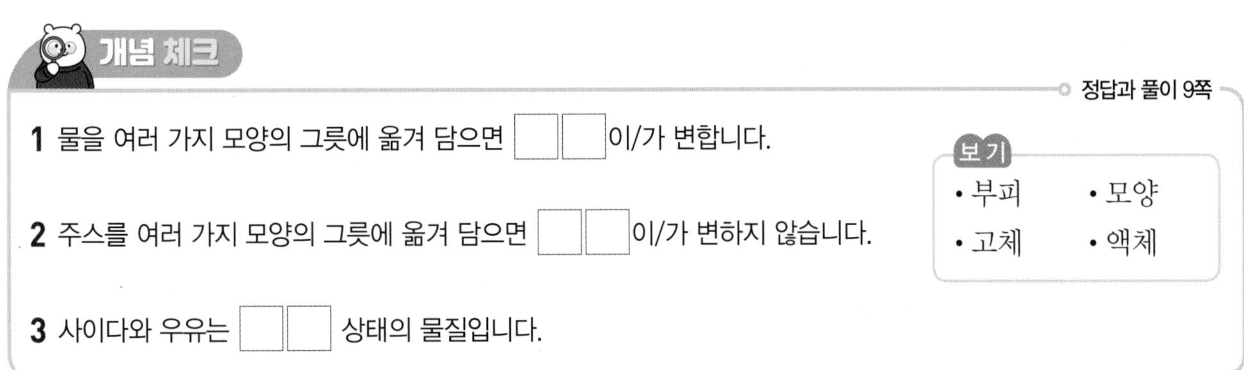

개념 체크

정답과 풀이 9쪽

1 물을 여러 가지 모양의 그릇에 옮겨 담으면 ☐☐이/가 변합니다.

2 주스를 여러 가지 모양의 그릇에 옮겨 담으면 ☐☐이/가 변하지 않습니다.

3 사이다와 우유는 ☐☐ 상태의 물질입니다.

보기
- 부피
- 모양
- 고체
- 액체

2일 개념 확인하기

정답과 풀이 9쪽

1 같은 양의 물을 여러 가지 모양의 그릇에 옮겨 담았을 때 변하는 것과 변하지 않는 것을 줄로 바르게 이으시오.

(1) 변하는 것 •		• ㉠ 물의 모양
(2) 변하지 않는 것 •		• ㉡ 물의 부피

2 오른쪽은 우유 200 mL가 담겨 있는 컵의 모습입니다. 이 우유를 컵보다 큰 다른 모양의 찻잔에 옮겨 담을 때 우유의 부피로 옳은 것은 어느 것입니까? (　　　　)

① 50 mL　　 ② 100 mL　　③ 200 mL
④ 300 mL　　 ③ 400 mL

▲ 우유 200 mL

3 다음과 같이 투명한 그릇 한 개에 주스를 넣은 뒤 유성펜으로 주스의 높이를 표시하고, 다른 그릇에 옮겨 담았다가 다시 처음에 사용한 그릇에 주스를 담았습니다. ㉠~㉢ 중 주스의 높이로 옳은 것을 골라 기호를 쓰시오.

(　　　　　　　　　　)

4 다음 중 물과 주스를 관찰한 내용으로 옳지 않은 것에 ×표를 하시오.

(1) 물과 주스는 흐르는 성질이 있습니다. (   )
(2) 물과 주스는 손으로 잡을 수 있습니다. (   )
(3) 물과 주스는 담는 그릇에 따라 모양이 변합니다. (   )

5 다음 중 액체의 성질에 대한 설명으로 옳은 것은 어느 것입니까? (   )

① 비교적 단단하다.
② 손으로 잡을 수 있다.
③ 모양과 크기가 변하지 않는다.
④ 담는 그릇에 따라 모양이 변한다.
⑤ 담는 그릇에 따라 부피가 변한다.

똑똑한 하루 퀴즈

6 다음 □ 안에 들어갈 알맞은 낱말을 말 상자에서 찾아 모두 ○표를 하세요. 말 상자의 낱말은 가로, 세로, 대각선에 숨어 있어요.

주	★	부	물
★	고	건	피
액	체	모	★
기	★	얼	양

1 물은 담는 그릇에 따라 □□이 변함.
2 주스는 담는 그릇이 달라져도 □□가 변하지 않음.
3 식초, 간장의 물질의 상태. □□

3일 공기 알아보기

열기구에 공기를 어떻게 채울까?

용어 체크

열기구

기구 속의 공기를 가열하여 팽창시켜 떠오르게 만든 기구

예 우리는 ❶ [   ] 를 타고 하늘을 날았다.

공기

지구를 둘러싼 기체로, 숨을 쉴 때 필요함.

예 물이 담긴 컵에 빨대를 넣고 불었더니 보글보글 ❷ [   ] 방울이 생겼다.

정답 ❶ 열기구 ❷ 공기

바람을 이용해 보자!

용어 체크

피스톤

주사기 안에서 왔다 갔다 하는 길쭉한 모양의 부품

예 물속에서 주사기의 ❶ ______ 을 밀면 공기 방울이 생긴다.

공간

아무것도 없는 빈 곳

예 방이 너무 좁아 책상이 들어갈 ❷ ______ 이 없다.

정답 ❶ 피스톤 ❷ 공간

3 주

3일 개념 익히기

1 공기가 있는 것을 어떻게 알 수 있을까?

머리카락이 날리고, 시원하며 공기가 빠져나오는 소리가 남.

플라스틱병 입구에서 둥근 공기 방울이 생겨 위로 올라와 사라짐.

주사기 끝에서 둥근 공기 방울이 생겨 위로 올라와 사라짐.

공기는 눈에 보이지 않지만, 우리 주변에 있다는 것을 알 수 있음.

☑ 물속에서 플라스틱병을 누르면 병 입구에서 둥근 ❶(물 / 공기) 방울이 생겨 위로 올라와 사라집니다.

2 우리 주변에 공기가 들어 있는 물체에는 어떤 것이 있을까?

▲ 축구공

▲ 튜브

▲ 광고 인형

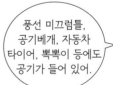

☑ 축구공, 광고 인형, 자동차 타이어 등에 공통으로 들어 있는 물질은 ❷(물 / 공기)입니다.

3 공기가 공간을 차지하는지 알아볼까?

실험 동영상

공기가 공간을 차지하는지 알아보기

컵으로 물 위에 띄운
페트병 뚜껑을 덮은 뒤 수조
바닥까지 밀어 넣어 보자.

바닥에 구멍이 뚫린 컵

물의 높이에
변화가 없어요.
페트병 뚜껑이
그대로 있어요.
물

컵 안의 공기가 구멍으로 빠져나가 물이 컵 안으로 들어옴.

바닥에 구멍이 뚫리지 않은 컵

물의 높이가
조금 높아져요.
페트병 뚜껑이
내려가요.
공기

컵 안의 공기가 공간을 차지하고 있어 공기가 물을 밀어냄.

공기가
공간(부피)를 차지하기
때문에 이와 같은
결과가 나타나.

공기가 공간을 차지하는 성질을 이용한 예

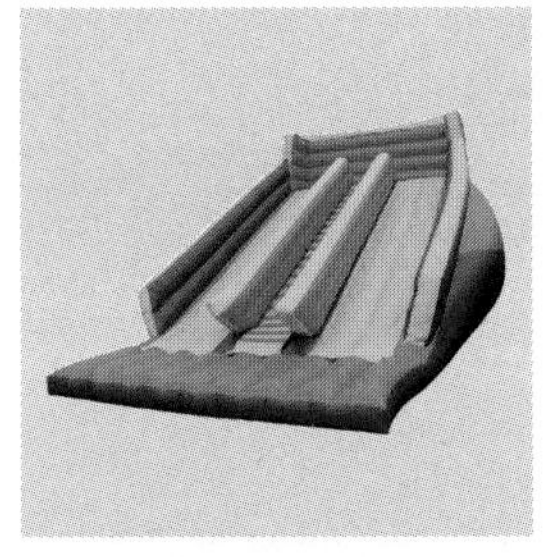
▲ 풍선 미끄럼틀

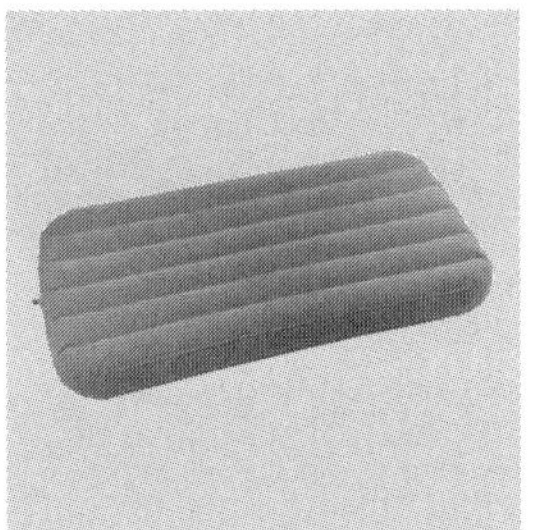
▲ 공기 침대

▲ 공기베개

이 밖에도 자동차 에어백, 구조용 안전 매트, 이불 압축 팩 등이 있어.

바닥에 구멍이 뚫리지 않은 플라스틱 컵을 뒤집어 물이 담긴 수조 바닥까지 밀어 넣으면 컵 안의 공기 ❸(부피 / 무게)만큼 물이 밀려나와 수조 안 물의 높이가 조금 높아집니다.

정답 ❶ 공기 ❷ 공기 ❸ 부피

개념 체크

정답과 풀이 10쪽

보기
- 비누
- 공기
- 모양
- 공간

1 물속에서 주사기 피스톤을 밀면 ☐☐ 방울이 생깁니다.

2 축구공, 타이어 등은 ☐☐이/가 들어 있는 물체입니다.

3 공기는 ☐☐을/를 차지합니다.

3일 개념 확인하기

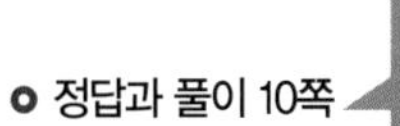
◦ 정답과 풀이 10쪽

빠른 정답 보기

1 오른쪽과 같이 부풀린 풍선을 얼굴에 대고 입구를 열었을 때 나타나는 현상으로 옳은 것에 ○표를 하시오.

(1) 아무런 느낌이 없습니다. (　　　)

(2) 풍선이 점점 부풀면서 터집니다. (　　　)

(3) 무엇인가 얼굴 주변으로 지나가는 느낌이 듭니다. (　　　)

2 다음은 물속에서 두 가지 활동을 하면서 나타나는 결과를 정리한 것입니다. □ 안에 공통으로 들어갈 알맞은 말을 쓰시오.

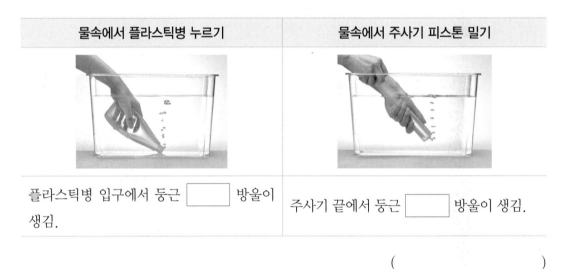

물속에서 플라스틱병 누르기	물속에서 주사기 피스톤 밀기
플라스틱병 입구에서 둥근 □ 방울이 생김.	주사기 끝에서 둥근 □ 방울이 생김.

(　　　　　　　　　)

3 다음 중 우리 주변에서 공기가 들어 있는 물체가 <u>아닌</u> 것은 어느 것입니까? (　　　)

① 
▲ 축구공

② 
▲ 지우개

③ 

▲ 튜브

④ 

▲ 광고 인형

4 물 위에 띄운 페트병 뚜껑을 컵으로 덮고 수조 바닥까지 밀어 넣었더니 오른쪽과 같은 결과가 나타났습니다. 이때 사용한 컵으로 옳은 것에 ○표를 하시오.

바닥에 (구멍이 뚫린 / 바닥에 구멍이 뚫리지 않은) 컵

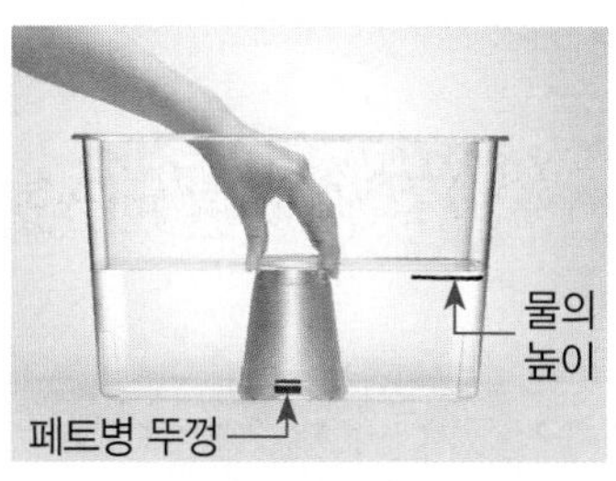

▲ 페트병 뚜껑이 내려가고 물의 높이가 조금 높아짐.

집중 연습 문제 공기가 공간을 차지하는지 알아보기

5 다음과 같이 바닥에 구멍이 뚫린 플라스틱 컵과 바닥에 구멍이 뚫리지 않은 플라스틱 컵으로 물 위에 띄운 페트병 뚜껑을 덮은 뒤 수조 바닥까지 밀어 넣으려고 합니다.

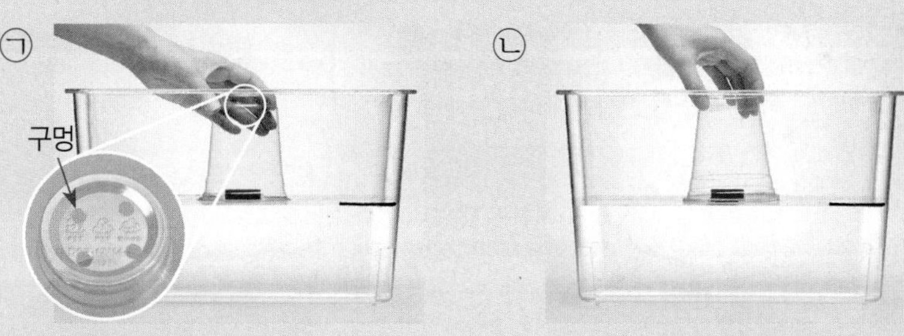

▲ 바닥에 구멍이 뚫린 컵 ▲ 바닥에 구멍이 뚫리지 않은 컵

(1) ㉠과 ㉡ 중 컵을 수조 바닥까지 밀어 넣었을 때 물의 높이에 변화가 없는 것의 기호를 쓰시오.

( )

(2) ㉠과 ㉡ 중 컵을 수조 바닥까지 밀어 넣었을 때 수조 안 물의 높이가 높아지는 것의 기호를 쓰시오.

( )

(3) 플라스틱 컵으로 물 위에 띄운 페트병 뚜껑을 덮었을 때 ㉠과 ㉡의 플라스틱 컵 안에 들어 있는 물질은 무엇인지 쓰시오.

( )

㉠과 ㉡의 컵을 수조 바닥까지 밀어 넣을 때 페트병 뚜껑의 위치 변화는?
• ㉠ ➔
• ㉡ ➔

4일 공기의 상태

드디어 열기구가 떠오르고 있어!

열기구 풍선에 공기가 들어가고 있어.
휙
주사기로 넣는 것보다 훨씬 낫네.
휘
잉

그런데 풍선을 가득 채우려면 아직 멀었어.
풍선이 더 커져야 열기구가 움직일 텐데.

이 장치가 열기구의 풍선 속 공기 물질의 상태를 크게 부풀려 줄 거야.
이건 뭐야. 무슨 가스통 같은데.

열기구가 왜 열기구겠어. 이렇게 열을 이용하는 기구라는 말씀!
화
악
예!
와 아
풍선에 어느 정도 공기를 주입하면 불을 이용해서 풍선을 크게 부풀릴 수 있어. 열은 기체의 부피를 크게 하거든.
역시 예지는 내 조수로 충분한 자질이 있어.
조수는, 예지가 대장 같은데.
열기구가 제대로 모양을 갖추고 있어.
화
악
드디어 무인도 탈출이다!

용어 체크

물질의 상태

물질이 나타내는 모습으로, 모양과 부피에 따라 고체, 액체, 기체의 상태로 구분됨.

예 우리 주변에 있는 물질의 ❶ ( ) 는 서로 다르다.

기체

담는 그릇에 따라 모양과 부피가 변하고, 담긴 그릇을 항상 가득 채우는 물질의 상태

예 공기는 ❷ ( ) 상태의 물질이다.

정답 ❶ 예 상태 ❷ 기체

공기에도 무게가 있다고?

이젠 열기구를 탈 수 있겠어.

자, 나를 따라와.

하하

바다의 선장에서 하늘의 선장으로! 나는 진정한 탐험가야.

맞아!

삼촌은 큰소리치는 것 말고 하는 게 없는 것 같아.

그런데 열기구가 우리의 무게를 견딜 수 있을까? 공기에도 무게가 있다는데…….

이렇게 큰 열기구는 우리 정도는 문제없어요.

공기가 무게가 있다고? 저 풍선에 공기를 얼마나 넣은 거지? 그럼 나 혼자 가는 게 낫지 않을까?

지금 혼자 탈출하시겠다는 거예요?

버럭

열기구가 떠오른다!

이제 열기구에 열을 그만 가해도 되지 않을까요?

드디어 탈출이다. 방학숙제도 할 수 있겠어.

그동안 못한 게임도 해야지.

속마음이 이제야 나오네.

푸식

이게 무슨 소리지?

용어 체크

무게

물건의 무거운 정도

예 마트에서는 저울로 과일이나 야채의 ❶ [ ] 를 재어 가격을 매긴다.

▲ 저울로 과일의 무게 재기

정답 ❶ 무게

4일 개념 익히기

1 공기를 옮겨볼까?

실험 동영상

주사기의 피스톤을 밀거나 당겨 공기를 옮겨보기

코끼리 나팔과 주사기를 비닐관으로 연결한 뒤 주사기의 피스톤을 밀거나 당겨 보자.

주사기의 피스톤을 밀 때

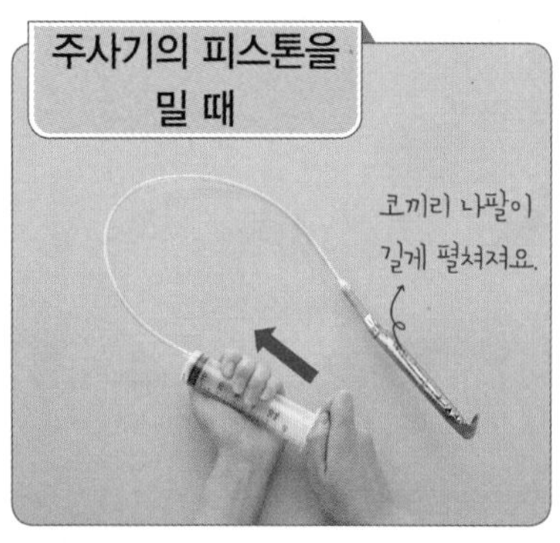
코끼리 나팔이
길게 펼쳐져요.

주사기와 비닐관 안 공기가 코끼리 나팔로 이동하기 때문임.

주사기의 피스톤을 당길 때

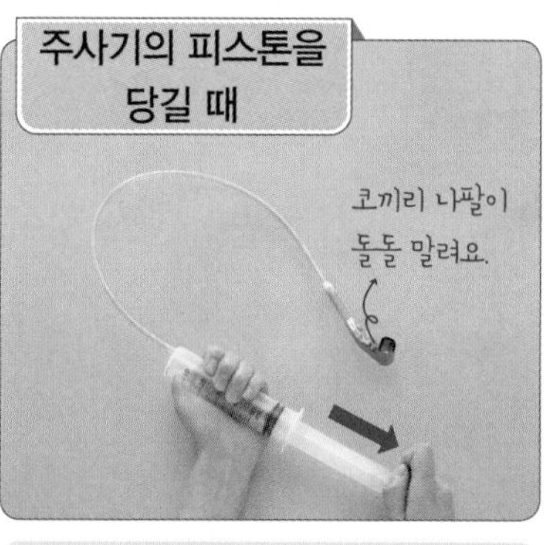
코끼리 나팔이
돌돌 말려요.

코끼리 나팔과 비닐관 안 공기가 주사기로 이동하기 때문임.

공기가 다른 곳으로 **이동**할 수 있기 때문에 나타나는 현상이야.

공기가 이동하는 성질을 이용한 예

▲ 공기 주입기로 풍선에 공기 넣기

▲ 펌프를 이용해 자전거 타이어에 공기 채우기

▲ 비눗방울 불기

이 밖에도 튜브에 공기 넣기, 부채질하기, 선풍기 사용하기 등이 있어.

☑ **코끼리 나팔과 주사기를 비닐관으로 연결한 뒤 주사기의 피스톤을 밀면 ❶(공기 / 고체)가 이동하여 코끼리 나팔이 펼쳐집니다.**

2 공기는 어떤 상태일까?

둥근 풍선에
공기를 넣으면 둥근
모양, 막대 풍선에
공기를 넣으면 막대
모양이 돼.

▲ 다양한 모양의 풍선을 가득 채운 공기

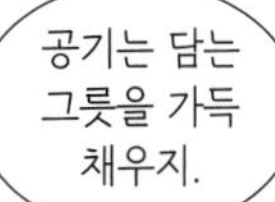

기체 담는 그릇에 따라 모양과 부피가 변하고, 담긴 그릇을 항상 가득 채우는 물질의 상태 ㉢ 공기

공기는 담는 그릇에 따라 모양과 부피가 변하고 담긴 그릇을 항상 가득 채우므로 ❷(고체 / 액체 / 기체) 상태의 물질입니다.

3 공기는 무게가 있는지 알아볼까?

공기 주입 마개를 누르기 전의 무게

▲ 51.4 g

<

공기 주입 마개를 누른 후의 무게

▲ 52.0 g

알 수 있는 점 → 공기는 무게가 있다.

페트병 입구에 공기 주입 마개를 끼운 뒤 공기 주입 마개를 누르면 누르기 전보다 무게가 ❸(줄어듭 / 늘어납)니다.

정답 ❶ 공기 ❷ 기체 ❸ 늘어납

개념 체크

정답과 풀이 10쪽

1 공기는 ☐☐하는 성질이 있어 풍선에 공기를 넣을 수 있습니다.

2 담는 그릇에 따라 모양과 부피가 변하고 담긴 그릇을 항상 가득 채우는 물질의 상태는 ☐☐입니다.

3 공기는 무게가 (있 / 없)습니다.

보기
- 이동
- 정지
- 액체
- 기체

개념 확인하기

정답과 풀이 10쪽

1 오른쪽 그림에서 주사기와 코끼리 나팔이 연결된 상태에서 주사기 피스톤을 밀 때 공기의 이동 방향을 □ 안에 화살표로 나타내시오.

(가)  (나)

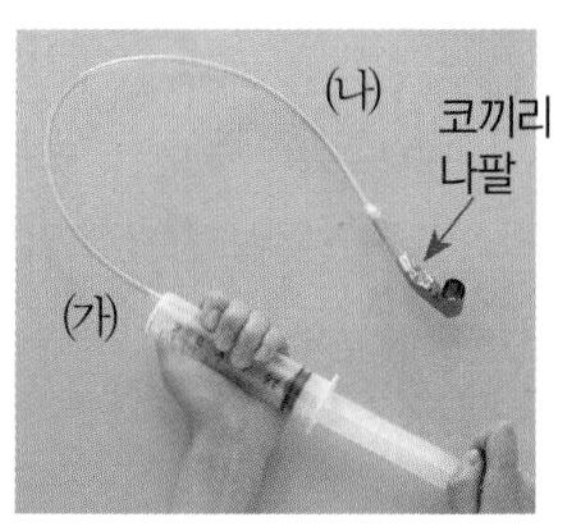

2 위 **1**번과 같이 피스톤을 밀었을 때 나타나는 변화로 옳은 것은 어느 것입니까? (　　　)

① 아무런 변화가 없다.
② 코끼리 나팔이 펼쳐진다.
③ 코끼리 나팔이 돌돌 말린다.
④ 주사기 안의 공기가 물방울로 변한다.
⑤ 코끼리 나팔이 펼쳐졌다 말렸다를 반복한다.

3 다음은 공기의 어떤 성질을 이용한 예인지 (　　) 안에 알맞은 말에 ○표를 하시오.

▲ 비눗방울 불기

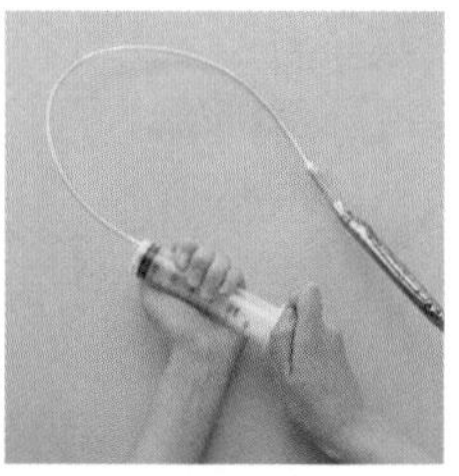
▲ 공기 주입기로 풍선에 공기 넣기

▲ 펌프를 이용해 자전거 타이어에 공기 채우기

공기가 (이동하는 / 눈에 보이지 않는) 성질을 이용한 예입니다.

4 다음 중 기체에 대한 설명으로 옳은 것에 ○표를 하시오.

(1) 부피가 항상 일정합니다. (　　)
(2) 담긴 그릇을 항상 가득 채웁니다. (　　)
(3) 담는 그릇이 달라져도 모양이 변하지 않습니다. (　　)

5 오른쪽과 같이 장치하여 페트병 입구의 공기 주입 마개를 누르기 전과 누른 후의 무게를 전자저울로 측정하였습니다. 페트병의 무게를 비교하여 빈칸에 >, =, <를 쓰시오.

공기 주입 마개를 누르기 전		공기 주입 마개를 누른 후

6 다음은 위 **5**번의 실험을 통해 알 수 있는 사실입니다. □ 안에 들어갈 알맞은 말을 쓰시오.

공기는 □ 이/가 있습니다.

( )

똑똑한 **하루 퀴즈**

7 다음 □ 안에 들어갈 알맞은 낱말을 말 상자에서 찾아 모두 ○표를 하세요. 말 상자의 낱말은 가로, 세로, 대각선에 숨어 있어요.

주	☆	무	거
이	액	기	☆
☆	동	고	체
곱	☆	가	벼

1. 부채질하기는 공기가 □□하는 성질을 이용한 예임.
2. 페트병에 공기 주입 마개를 끼우고 공기 주입 마개를 누르면 무게는 처음보다 □□워짐.
3. 공기의 상태. □□

1 고체 알아보기

모래나 밀가루와 같은 가루 물질도 고체 상태야.

▲ 여러 가지 모양의 투명한 그릇에 나무 막대 넣기

- 고체 : 담는 그릇이 바뀌어도 모양과 부피가 일정한 물질의 상태
- 눈으로 볼 수 있고, 손으로 잡을 수 있음.
  예 가방, 책상, 의자, 필통, 색연필, 책, 유리 구슬 등

2 액체 알아보기

▲ 물을 여러 가지 모양의 투명한 그릇에 옮겨 담으면서 모양과 부피 관찰하기

- 액체 : 담는 그릇에 따라 모양은 변하지만 부피는 변하지 않는 물질의 상태
- 눈으로 볼 수 있지만 손으로 잡을 수 없음.
  예 물, 주스, 사이다, 우유, 간장, 식초, 바닷물 등

3 공기 알아보기

풍선 미끄럼틀, 공기 침대, 자동차 에어백 등은 공간을 차지하는 공기의 성질을 이용한 예야.

① **물속에 공기가 있는지 알아보기** : 물속에서 플라스틱병을 누르면 플라스틱병 입구에서 둥근 공기 방울이 생겨 위로 올라와 사라집니다.
➡ 공기는 눈에 보이지 않지만 우리 주변에 있습니다.

② **공기가 공간을 차지하는지 알아보기**

➡
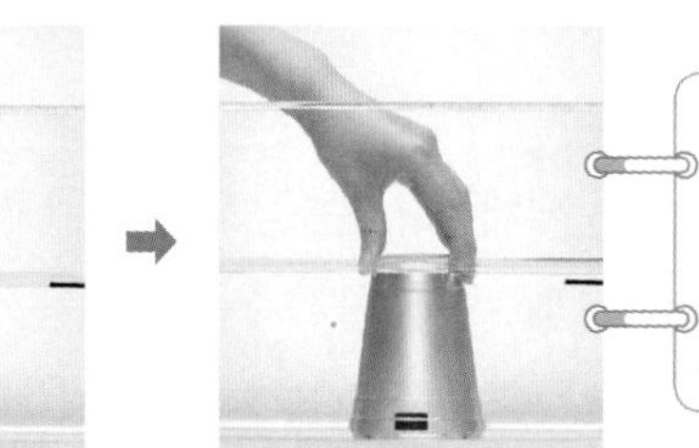
▲ 바닥에 구멍이 뚫리지 않은 컵으로 물 위에 띄운 페트병 뚜껑을 덮은 뒤 수조 바닥까지 밀어넣기

- 결과 : 페트병 뚜껑이 내려가고, 수조 안 물의 높이가 조금 높아짐.
- 공기의 성질 : 공기는 공간을 차지함.

4 공기의 상태

① 공기 옮겨보기

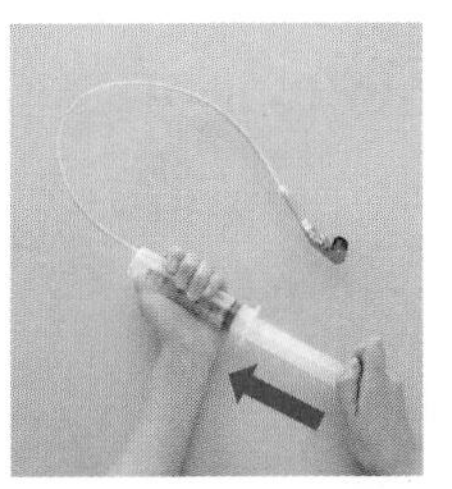

➡

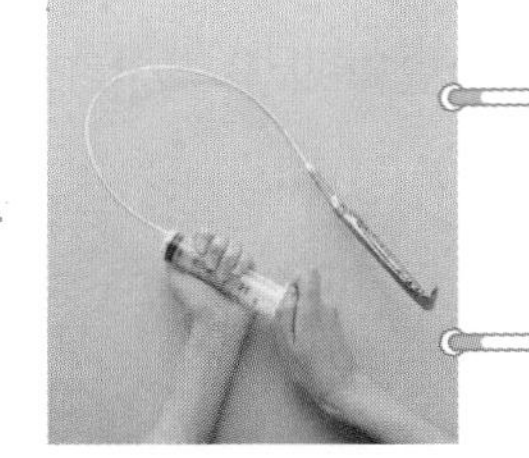

▲ 코끼리 나팔과 주사기를 비닐관으로 연결한 뒤 주사기의 피스톤을 밀어보기

- 결과 : 주사기와 비닐관 안의 공기가 이동하면서 코끼리 나팔이 펼쳐짐.
- 공기의 성질 : 공기는 다른 곳으로 이동할 수 있음.

② 공기가 무게가 있는지 알아보기

고체, 액체와 같이 기체도 무게가 있어.

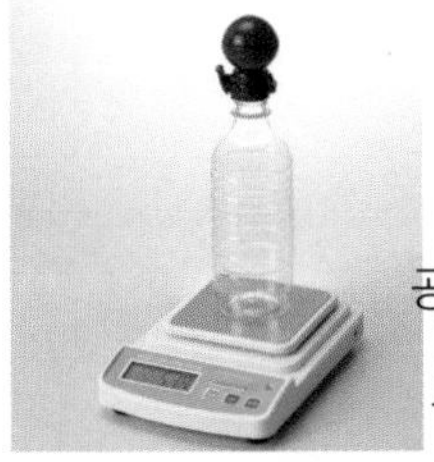

➡ 공기 주입 마개를 누른 후

▲ 페트병 입구에 공기 주입 마개를 끼운 뒤 공기 주입 마개를 누르기 전과 누른 후의 무게를 측정하기

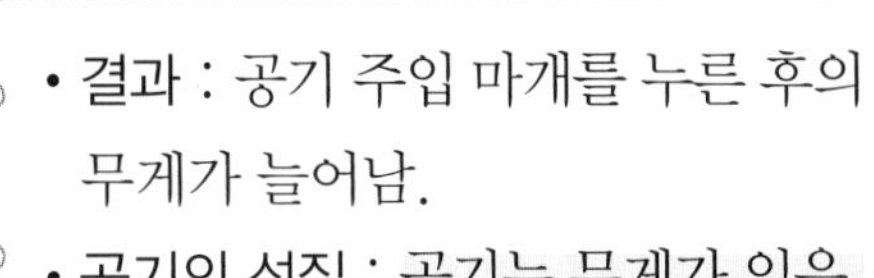

- 결과 : 공기 주입 마개를 누른 후의 무게가 늘어남.
- 공기의 성질 : 공기는 무게가 있음.

③ 공기의 상태

- **기체** : 담는 그릇에 따라 모양고 부피가 변하고, 담긴 그릇을 항상 가득 채우는 물질의 상태
- 기체는 공간을 차지하고, 다른 곳으로 이동할 수 있고, 무게가 있습니다.

과학 컬럼

불은 고체일까, 액체일까, 기체일까?

뜨겁게 활활 타오르는 불은 어떤 물질이 공기 중의 산소와 만나 빛과 열을 내는 것입니다. 불은 물질이 아니에요. 물질은 부피와 무게가 있어야 하는데, 불은 그 두 가지 중 어느 것도 가지고 있지 않아요. 따라서 불을 고체, 액체, 기체로 정할 수 없어요. 불은 그냥 빛과 열을 뿜어내는 에너지입니다.

▲ 활활 타오르는 불

5일 3주 마무리하기

1일 고체 알아보기

1 다음과 같이 나무 막대를 여러 가지 모양의 투명한 그릇에 넣었을 때의 결과로 옳은 것을 두 가지 고르시오. (　　　,　　　)

▲ 여러 가지 모양의 투명한 그릇에 나무 막대 넣기

① 담는 그릇에 따라 나무 막대의 모양이 변한다.
② 담는 그릇에 따라 나무 막대의 크기가 변한다.
③ 담는 그릇에 따라 나무 막대의 무게가 변한다.
④ 담는 그릇이 달라져도 나무 막대의 모양은 그대로이다.
⑤ 담은 그릇이 달라져도 나무 막대의 크기는 그대로이다.

2 다음 중 고체에 대한 설명으로 옳은 것에 ○표를 하시오.

(1) 부피가 일정합니다. (　　　)
(2) 흐르는 성질이 있습니다. (　　　)
(3) 손으로 잡을 수 없습니다. (　　　)

3 다음 중 고체가 아닌 것은 어느 것입니까? (　　　)

① ▲ 책　② ▲ 우유　③ ▲ 나무 막대　④ ▲ 모래

정답과 풀이 11쪽

2일 액체 알아보기

4 다음은 물을 여러 가지 모양의 투명한 그릇에 차례대로 옮겨 담는 실험을 하여 알게 된 점입니다. (　　) 안에 알맞은 말에 ○표를 하시오.

▲ 여러 가지 모양의 투명한 그릇에 물 옮겨 담기

물의 ❶(모양 / 부피)은/는 담는 그릇에 따라 변하지만, 물의 ❷(모양 / 부피)은/는 변하지 않습니다.

5 다음 중 위 **4**번 답의 성질과 같은 상태의 물질은 어느 것입니까? (　　　)

① 가방　② 식초　③ 책상
④ 의자　⑤ 공기

6 다음은 액체에 대해 친구들이 이야기한 내용입니다. 틀리게 말한 친구의 이름을 쓰시오.

민주 : 액체는 담긴 그릇을 항상 가득 채우지.
상우 : 액체가 담긴 그릇을 기울이면 액체의 모양이 변해.
예지 : 액체는 흐르는 성질이 있어서 손으로 잡을 수 없어.

(　　　　　　　)

3 주

3일 공기 알아보기

7 오른쪽과 같이 물속에서 플라스틱병을 누를 때 나타나는 결과로 알 수 있는 사실은 무엇인지 보기에서 골라 기호를 쓰시오.

▲ 병 입구에서 둥근 공기 방울이 생겨 위로 올라와 사라짐.

보기
㉠ 공기는 눈에 보이지만 느낄 수 없습니다.
㉡ 공기는 물속에서만 손으로 잡을 수 있습니다.
㉢ 공기는 눈에 보이지 않지만 우리 주변에 있습니다.

( )

8 다음과 같이 바닥에 구멍이 뚫린 플라스틱 컵과 바닥에 구멍이 뚫리지 않은 플라스틱 컵으로 물 위에 띄운 페트병 뚜껑을 덮은 뒤 수조 바닥까지 밀어 넣을 때 수조 안의 물의 높이가 변하는 것의 기호를 쓰시오.

㉠
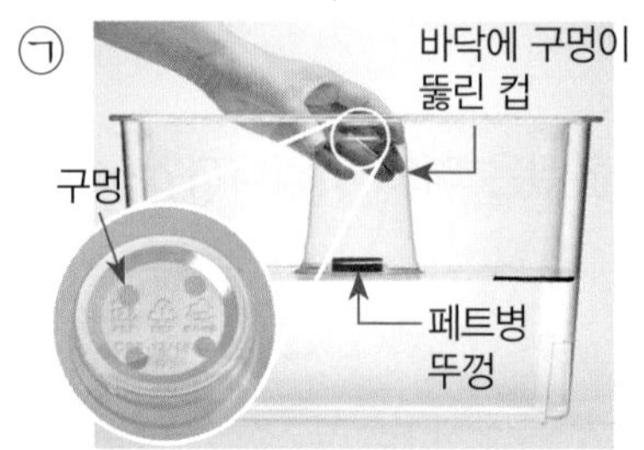

㉡

( )

9 다음은 위 **8**번의 실험을 통해 알 수 있는 공기의 성질입니다. □ 안에 들어갈 알맞은 말을 쓰시오.

공기는 □ 을/를 차지합니다.

( )

4일 공기의 상태

10 오른쪽의 코끼리 나팔 장난감에서 절반만 펼쳐진 코끼리 나팔을 돌돌 말리게 하려면 주사기의 피스톤을 어느 방향으로 움직여야 하는지 그림 위에 화살표로 나타내시오.

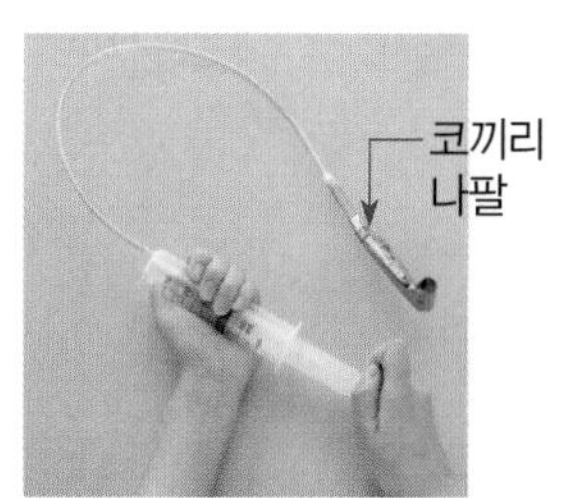

서술형

11 다음은 오른쪽과 같이 장치한 페트병의 공기 주입 마개를 누르기 전과 누른 후의 무게를 측정하였을 때의 결과입니다. 이를 통해 알 수 있는 공기의 성질을 쓰시오.

공기 주입 마개를 누르기 전의 무게(g)	51.4
공기 주입 마개를 누른 후의 무게(g)	52.0

똑똑한 하루 퀴즈

12 다음 십자말풀이를 해 보세요.

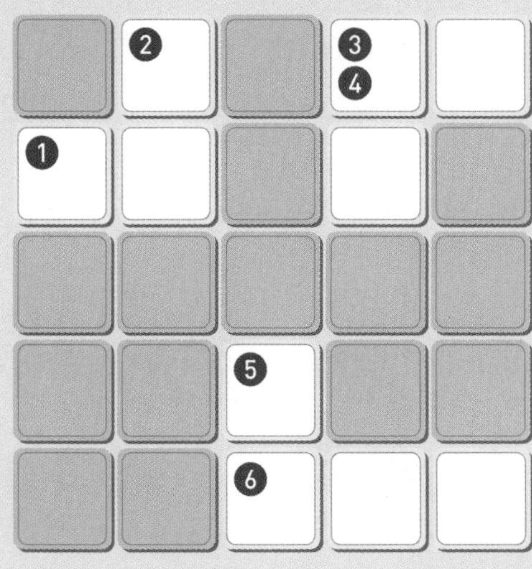

가로

1 주스의 물질의 상태. □□
3 숨을 쉴 때 필요함. □□
6 주사기 안에서 왔다 갔다 하는 길쭉한 모양의 부품. □□□

세로

2 나무 막대의 물질의 상태. □□
4 공기는 □□을/를 차지함.
5 물질이 차지하는 공간의 크기. □□

누구나 100점 TEST

맞은 개수 /10개

1 다음 물체들의 공통적인 성질로 옳지 않은 것은 어느 것입니까? (　　　)

▲ 책　▲ 책상　▲ 유리구슬

① 비교적 단단하다.
② 눈으로 볼 수 있다.
③ 손으로 잡을 수 있다.
④ 담는 그릇에 따라 모양이 변한다.
⑤ 담는 그릇이 바뀌어도 부피가 변하지 않는다.

2 다음은 나무 막대를 여러 가지 모양의 그릇에 옮겨 넣어 보면서 관찰한 결과입니다. □ 안에 들어갈 알맞은 말을 쓰시오.

> 나무 막대를 여러 가지 모양의 그릇에 넣었을 때 막대의 모양과 크기가 □.

(　　　　　　　　)

3 다음 중 고체가 아닌 것은 어느 것입니까? (　　　)

① 필통　② 가방　③ 사이다
④ 유리컵　③ 페트병

4 다음과 같이 주스를 여러 가지 모양의 투명한 그릇에 옮겨 담았을 때 관찰한 모습으로 옳은 것은 어느 것입니까? (　　　)

① 주스의 양이 변한다.
② 주스의 모양이 변한다.
③ 주스의 부피가 변한다.
④ 주스가 기체로 변한다.
⑤ 주스의 색깔이 붉은색으로 변한다.

5 다음은 어떤 물질에 대한 설명입니다. □ 안에 들어갈 알맞은 물질은 어느 것인지 골라 기호를 쓰시오.

> □은/는 흐르는 성질이 있어 손으로 잡을 수 없습니다. 또 담는 그릇에 따라 모양은 변하지만, 부피는 변하지 않습니다.

㉠ 
▲ 가방

㉡ 
▲ 플라스틱 막대

㉢ 
▲ 식초

(　　　　　　　　)

6 다음은 우리 주변에 무엇이 있기 때문에 나타나는 현상인지 쓰시오.

- 부채로 바람을 일으키면 시원합니다.
- 부풀린 풍선을 얼굴에 대고 입구를 열면 머리카락이 날립니다.
- 물속에서 플라스틱병을 누르면 플라스틱병 입구에서 공기 방울이 생깁니다.

(　　　　　　　　)

7 다음은 바닥에 구멍이 뚫리지 않은 플라스틱 컵을 뒤집어 물 위에 띄운 페트병 뚜껑을 덮은 뒤 수조 바닥까지 밀어 넣었을 때의 결과입니다. ㉠, ㉡에 들어갈 알맞은 말을 각각 쓰시오.

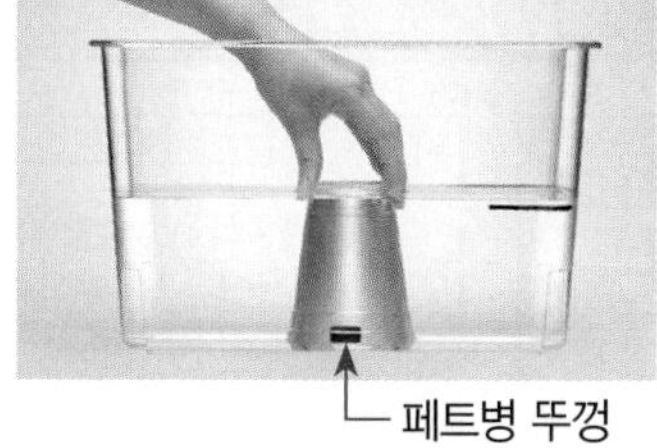

컵 안의 공기 부피만큼 물이 밀려나오므로 페트병 뚜껑이 [㉠], 물의 높이가 조금 [㉡].

㉠ (　　　　　　　　)
㉡ (　　　　　　　　)

8 오른쪽과 같이 코끼리 나팔과 주사기를 비닐관으로 연결한 뒤 주사기 피스톤을 밀면 코끼리 나팔은 어떻게 됩니까?

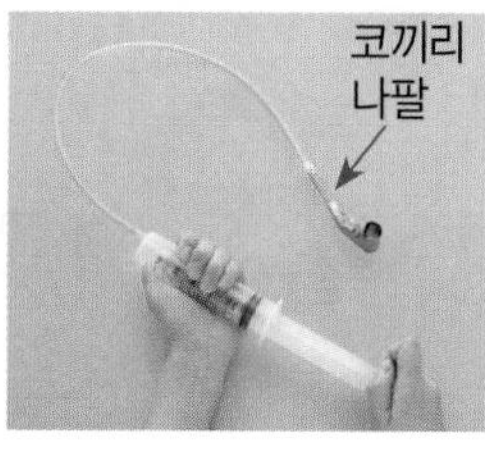

(　　　　)

① 펼쳐진다.
② 돌돌 말린다.
③ 색깔이 변한다.
④ 반으로 접힌다.
⑤ 아무런 변화가 없다.

9 오른쪽과 같이 공기 주입 마개를 끼운 페트병에 누르기 전의 무게가 51.4 g이었다면 공기 주입 마개를 누른 후의 무게로 옳은 것을 보기에서 골라 기호를 쓰시오.

보기
㉠ 49.3 g　　㉡ 51.4 g　　㉢ 52.0 g

(　　　　　　　　)

10 다음 중 물체가 이용하는 공기의 성질이 다른 하나는 어느 것입니까? (　　　　)

① 선풍기　　② 공기베개
③ 공기 침대　　④ 자동차 에어백
③ 풍선 미끄럼틀

3주 특강 생활 속 과학

따뜻한 코코아 차에서 고체, 액체, 기체 물질을 찾아봅니다.

코코아 차에서 모락모락 나오는 김은 어떤 상태일까?

여기 따뜻한 코코아 차를
마시고 재미있게 놀다 가렴.

학교에서 물질의 상태에 대해
배웠는데, 이 코코아 차에 물질의
세 가지 상태가 다 있는 것 같아.

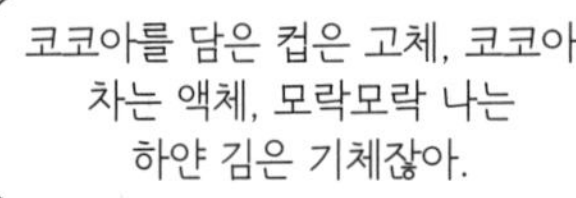

코코아를 담은 컵은 고체, 코코아
차는 액체, 모락모락 나는
하얀 김은 기체잖아.

김이 기체라고? 기체는
대부분 눈에 보이지 않는다고
배웠잖아.

김은 기체 상태의
수증기가 공기 중에서
액체로 변한 것이란다.
아, 그래요?

코코아 바로 위의 김이 보이는 직전 눈에
안 보이는 부분이 기체 상태인 수증기야.

김은 이렇게 눈에 보이고,
손을 대어 보면 촉촉한
물방울을 느낄 수 있어.
김
수증기

김이 액체 상태였다니. 액체의
성질을 더 알아봐야지.

정답과 풀이 12쪽

1 상우는 게임에서 아래의 오렌지 주스, 공기, 연필 중 액체를 가져와야 해요. 액체에 대해 옳은 설명만 따라가다 보면 액체 물체에 도달할 수 있어요. 상우가 액체 물체를 잘 가져올 수 있도록 선을 그어 연결하고, 가져와야 할 액체의 이름을 적어 보세요.

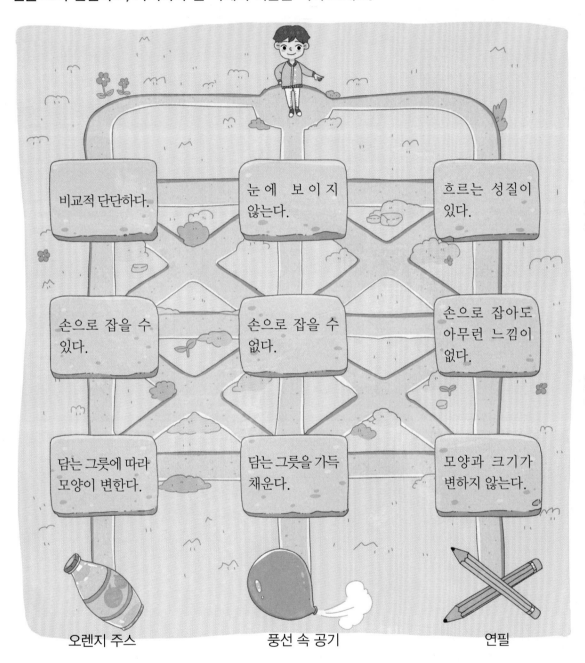

비교적 단단하다.	눈에 보이지 않는다.	흐르는 성질이 있다.
손으로 잡을 수 있다.	손으로 잡을 수 없다.	손으로 잡아도 아무런 느낌이 없다.
담는 그릇에 따라 모양이 변한다.	담는 그릇을 가득 채운다.	모양과 크기가 변하지 않는다.
오렌지 주스	풍선 속 공기	연필

3주 특강 사고 쑥쑥

창의·융합·코딩

고체의 성질을 알아봅니다.

2 다음 만화를 읽고 나무꾼의 도끼는 어느 것인지 기호를 쓰세요.

퍽
퍽
퍽
풍덩
이런, 이제 어떡하지?
꺼이
꺼이
나에게 세 가지 도끼가 있다.
스르륵
담는 그릇에 따라 모양은 변하지만 부피가 변하지 않는 (가) 도끼가 네 것이냐?
척
담는 그릇에 따라 모양과 부피가 모두 변하는 (나) 도끼가 네 것이냐?
담는 그릇에 따라 모양과 부피가 변하지 않은 (다) 도끼가 네 것이냐?
제 도끼는 고체이니까…….
[ ] 입니다.
딱

나무꾼의 도끼

신문지를 펴서 실을 연결하고 잡아당기면 실이 끊어지는 까닭을 알아봅니다.

3 다음 만화를 읽고 빈칸에 들어갈 알맞은 말이 들어 있는 카드를 골라 기호를 쓰세요.

(가)	(나)	(다)
무게	눈에 보이지 않는 성질	다른 곳으로 이동할 수 있는 성질

카드 기호

창의·융합·코딩

논리 탄탄

고체, 액체, 기체인 물체를 구별해 봅니다.

4 진희는 잃어버린 작은 열쇠고리를 찾아 방 안의 물건을 샅샅이 확인하고 있어요. 다음 실행 규칙을 통해 진희가 잃어버린 열쇠고리는 어디에 있을지 찾아보세요.

[실행 규칙]

- 고체일 때 : 아래로 한 칸 이동
- 액체일 때 : 오른쪽으로 두 칸 이동
- 기체일 때 : 왼쪽으로 한 칸 이동
- ☆일 때 : 아래로 두 칸 이동

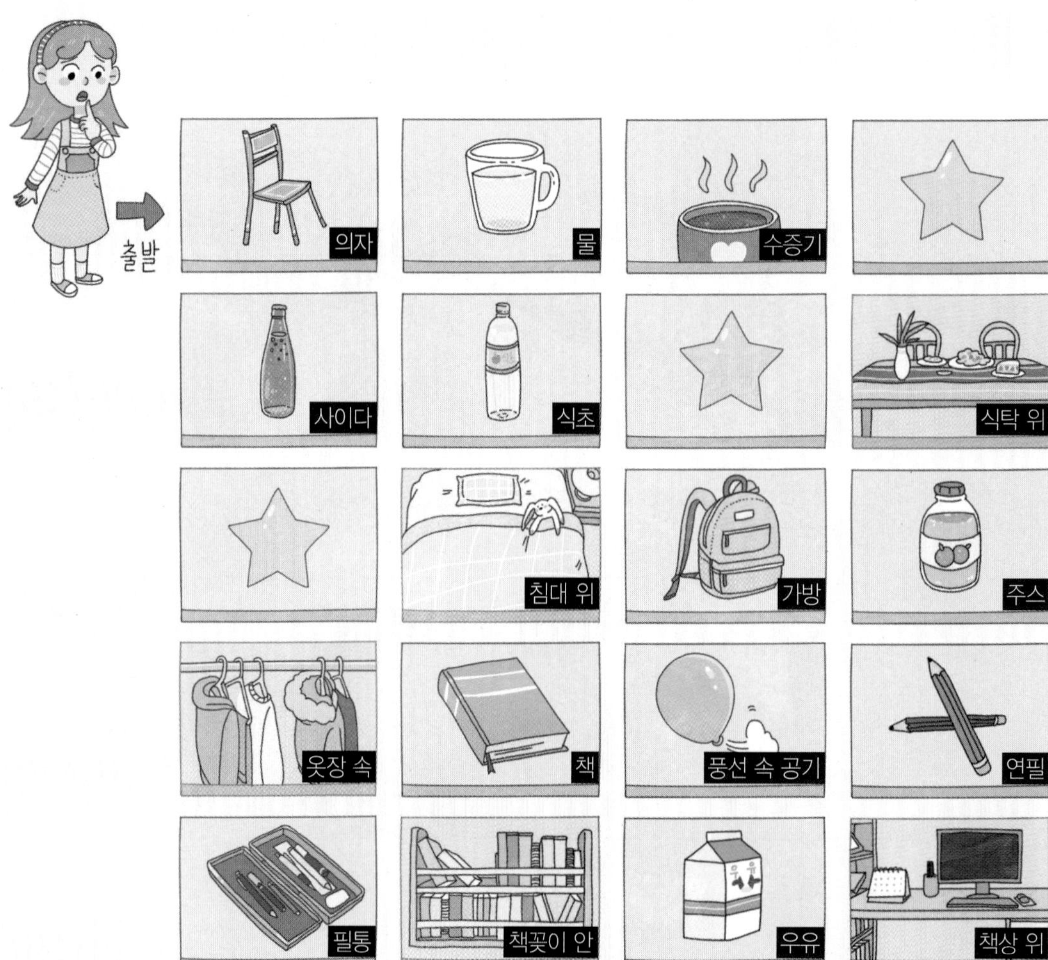

잃어버린 물건을 찾은 곳

공기의 성질을 알아봅니다.

5 다음의 여러 가지 물건은 공기의 성질을 이용하여 우리 생활에 이용하는 것들이에요. 실행 규칙에 따라 □ 안을 채우고 숫자를 더하며 화살표를 따라 이동하였을 때 최종 나온 두 자리 숫자에 해당하는 용어를 맞춰보세요. (단, 두 자리 숫자 중 십 자리 수에 해당하는 것이 첫 번째 글자, 한 자리 수에 해당하는 것이 두 번째 글자입니다.)

[□을 채우는 실행 규칙]
- 공간을 차지하는 공기의 성질을 이용한 예이면 +2를 합니다.
- 다른 곳으로 이동하는 공기의 성질을 이용한 예이면 +7을 합니다.

숫자	0	1	2	3	4	5
글자	체	액	성	기	질	고

용어

소리의 성질

4주에는 무엇을 공부할까? ❶

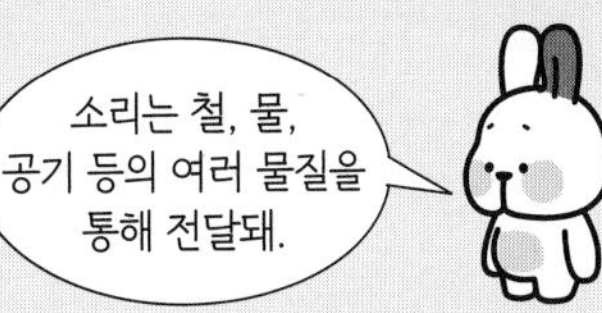
소리는 철, 물,
공기 등의 여러 물질을
통해 전달돼.

소리의 성질

소리의 발생

물체의 떨림

소리의 전달

고체

액체

기체

소리의 세기와 높낮이

소리의 세기

▲ 북을 치는 세기에 따라 작은 소리, 큰 소리가 남.

소리의 높낮이

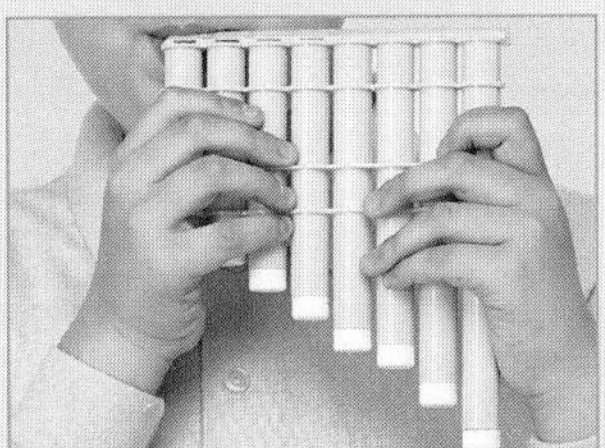

▲ 관의 길이에 따라 낮은 소리, 높은 소리가 남.

소리의 반사

소리가 나는 물체의 공통점과
소리의 세기, 높낮이를 알고 소리의
전달과 반사되는 성질을 기억해!

4주	핵심 용어	136쪽
1일	소리 나는 물체	138쪽
2일	소리의 세기와 높낮이	144쪽
3일	소리의 전달	150쪽
4일	소리의 반사	156쪽
5일	4주 마무리하기	162쪽

핵심 용어

4주 4주에는 무엇을 공부할까? ❷

소리굽쇠

뜻 **길쭉한 금속 막대를 구부려 'U'자 모양을 하고 가운데에는 자루가 달려 있는 도구. 고무망치로 쳐서 소리를 냄.**

예 **소리굽쇠**의 한쪽 막대 부분을 치면 다른 막대까지 같이 울려 소리가 나요.

떨림(진동)

振 動

떨칠 진 움직일 동

나 지금 떨고 있니?

뜻 **물체 등이 울리어 흔들려 움직이는 것**

예 소리가 나는 종에 손을 대 보면 **떨림**이 느껴져요.

소리의 세기

약하게 치면 작은 소리!
세게 치면 큰 소리!

뜻 **소리의 크고 작은 정도**

예 북을 치는 세기에 따라 **소리의 세기**가 달라져요.

소리의 높낮이

뜻 **소리의 높고 낮은 정도**

예 피아노는 **소리의 높낮이**를 이용해 연주해요.

소리와 관련된 용어가 있어. 특히 소리의 세기, 소리의 높낮이, 소리의 반사 등의 용어와 개념은 꼭 기억해!

소리의 전달

傳 達
전할 전 다다를 달

뜻 **소리는 여러 가지 물질을 통해 전달됨. 생활 속 대부분의 소리는 공기를 통해 전달됨.**

예 달에는 공기가 없어 소리가 잘 **전달**되지 않아요.

소리의 반사

反 射
되돌릴 반 활쏘기 사

뜻 **소리가 나아가다가 물체에 부딪쳐 되돌아오는 성질**

예 산꼭대기에서 큰 소리를 내자 소리가 **반사**되어 메아리가 들려요.

소음

騷 音
떠들 소 소리 음

뜻 **사람의 기분을 좋지 않게 만들거나 건강을 해칠 수 있는 시끄러운 소리**

예 학교 앞 도로 공사장에서 굴착기로 땅을 파느라 **소음**이 심해요.

소리 나는 소리굽쇠에
손을 대면 진동이
느껴져.
반사!
세게 치면
큰 소리가 나.
소리를 들을 수 있는
것은 공기를 통해 소리가
전달되기 때문이야.
길어질수록
소리가 낮아져.

1일 소리 나는 물체

소리굽쇠의 정체

추락한다. 아직 장가도 못 갔는데 억울해~
푸시시
버려진 데는 다 이유가 있었어.
저기로 착륙하면 되겠어.
다행이야. 여기 동굴이 있어요. 여기로 가보자.
끄응
헉
여기 곰이 사는 거 아냐?
호랑이가 있을 수도 있어요.
다들 불길한 소리 좀 그만해요.
너무 어두워.
더듬 더듬
어, 이게 뭐지? 부싯돌인가?
내가 불을 켤게.
팅
띵~
앗! 시끄러워.
이게 무슨 소리야?
이게 떨리면서 소리가 나!
원래 소리굽쇠를 치면 떨리면서 소리가 나요.
딱
알았다! 물체가 떨리면 소리가 나는 군. 나도 몸을 떨 때 '덜덜' 소리가 났잖아.

용어 체크

소리굽쇠

길쭉한 금속 막대를 구부려 'U'자 모양을 하고 있으며 가운데에는 자루가 달려 있는 도구

예 소리굽쇠를 고무망치로 치면 ❶ [   ] 가 떨리면서 소리가 난다.

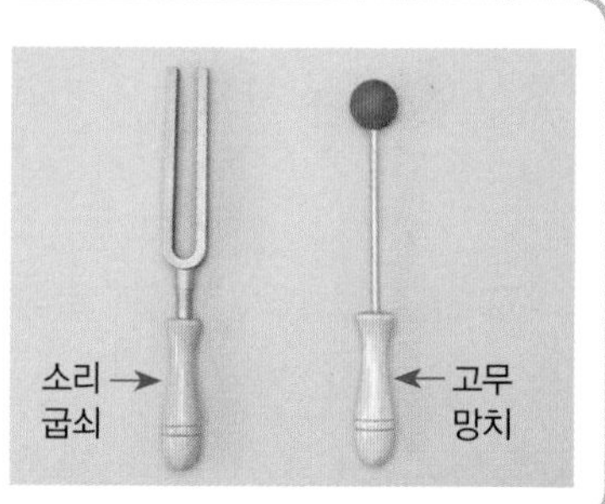

정답 ❶ 소리굽쇠

소리를 멈출 수 있을까?

소리굽쇠의 떨림이 멈추지 않아.
그리고 내 몸도~~
으~

소리굽쇠의 소리를 멈추게
하려면 어떻게 해야 돼?
척

내가 소리굽쇠를
세게 움켜잡으니까
소리가 멈췄어.
소리를 멈추게 하려면
물체를 떨리지 않게 하면 돼.

다시 돌아가자. 제발~~
예감이 안 좋아.
나가봤자 절벽이잖아요.
여기서 길을 찾아야 해요.
차라리 망가진 열기구를
비행기로 만들면 어떨까?
여기 동굴에서 밖으로
나가는 통로가 있길
바랄 수밖에 없어요.
여기서 길을 찾아봐요.
만들자, 어?
제발~~
잠깐! 길이
여러 갈래가 있어요.

용어 체크

떨림(진동)

물체 등이 울리어 흔들려 움직이는 것

예 • 소리가 나는 스피커에 손을 대 보면 ❶ ______ 이 느껴진다.

• 물체의 ❷ ______ 에 의해 소리가 난다.

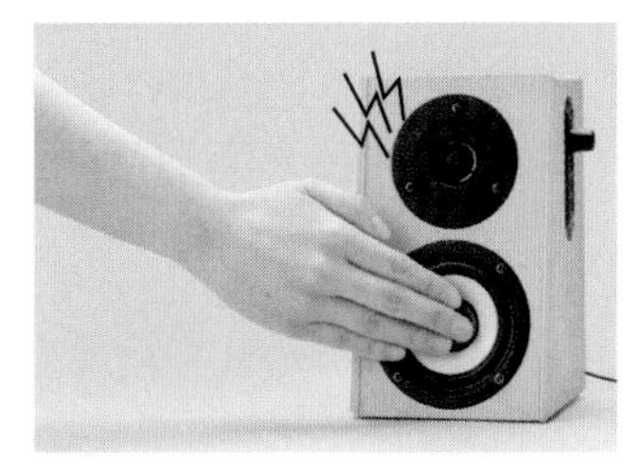

▲ 소리가 나는 스피커

정답 ❶ 떨림(진동) ❷ 떨림(진동)

개념 익히기

실험 동영상

1 물체에서 소리가 날 때 어떤 현상이 일어날까?

소리를 내면서 목에 손을 대 보기

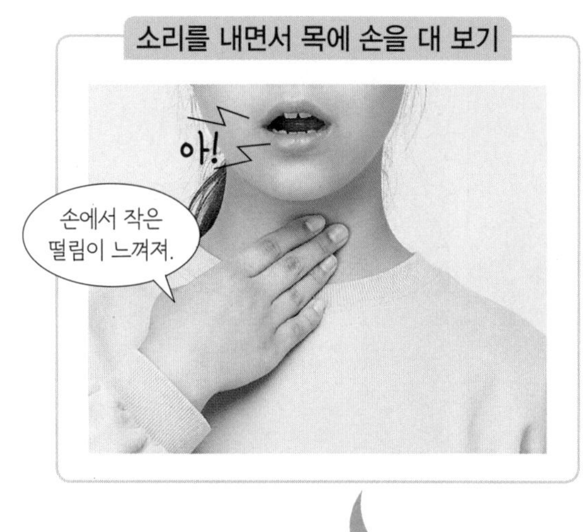

아!
손에서 작은 떨림이 느껴져.

소리가 나는 스피커에 손을 대 보기

손에서 떨림이 느껴져.

공통점 : 물체에서 소리가 날 때 **물체가 떨림.**

소리가 나는 소리굽쇠를 물에 대 보기

소리굽쇠를 고무망치로 치면 소리가 나.
물이 튀어 올라.
물이 튀는 까닭은 소리굽쇠가 떨리기 때문이야.

물체에서 ❶(열 / 소리)이/가 날 때의 공통점은 물체가 떨립니다.

2 소리가 나는 까닭을 알아볼까?

소리 나는 종

종을 침. ➡ **종의 떨림**이 생김. ➡ 소리가 남.

소리 나는 벌

벌이 남. ➡ 빠른 날갯짓 때문에 **공기의 떨림**이 생김. ➡ 소리가 남.

☑ 물체가 ❷(떨리면 / 멈추면) 소리가 납니다.

3 소리 나는 물체의 소리를 멈추려면 어떻게 해야 할까?

소리 나는 소리굽쇠를 손으로 세게 움켜잡으면?
소리굽쇠의 떨림이 멈춰 소리가 나지 않아.

☑ 소리가 나는 물체를 ❸(떨리지 / 멈추지) 않게 하면 더 이상 소리가 나지 않습니다.

정답 ❶ 소리 ❷ 떨리면 ❸ 떨리지

개념 체크

정답과 풀이 13쪽

1 물체에서 소리가 날 때 ☐☐ 이/가 떨립니다.

2 물체가 떨리면 ☐☐ 이/가 납니다.

3 소리가 나는 물체를 소리가 나지 않게 하려면 ☐☐ 을/를 떨리지 않게 합니다.

보기
- 소리
- 물체
- 바닥

4주

1일 개념 확인하기

○ 정답과 풀이 13쪽

1 오른쪽과 같이 소리를 내면서 목에 손을 대 보았을 때 손의 느낌을 옳게 말한 친구는 누구입니까? (　　　　)

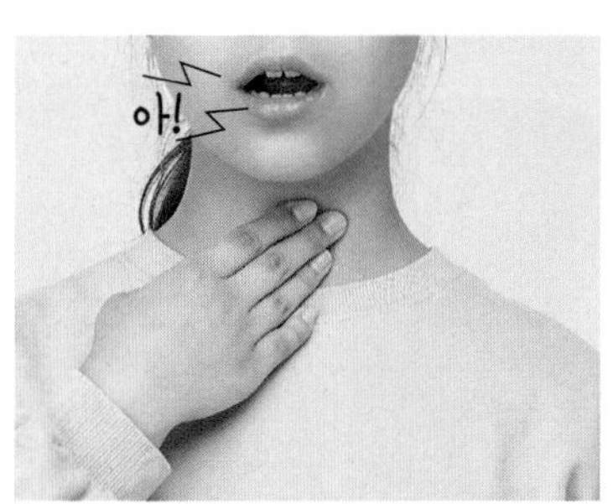

① 가영 : 손에 따끔한 느낌이 나.
② 나영 : 손이 따뜻해지는 느낌이 나.
③ 다영 : 손이 차가워지는 느낌이 나.
④ 라영 : 손에 아무 느낌이 나지 않아.
⑤ 마영 : 손에서 작은 떨림이 느껴져.

2 다음은 소리가 나는 스피커와 소리가 나지 않는 스피커에 손을 대 본 느낌입니다. 소리가 나는 스피커는 어느 것인지 기호를 쓰시오.

㉠

▲ 떨림이 느껴짐.

㉡

▲ 떨림이 없음.

(　　　　　　　　　　)

3 다음의 소리가 나는 소리굽쇠와 소리가 나지 않는 소리굽쇠를 각각 물에 대 본 결과를 줄로 바르게 이으시오.

(1) 소리가 나는 소리굽쇠 •

• ㉠

▲ 물이 튀지 않음.

(2) 소리가 나지 않는 소리굽쇠 •

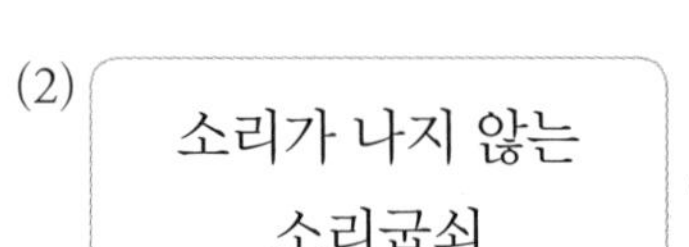

• ㉡

▲ 물이 튐.

4 다음 (　　) 안의 알맞은 말에 ○표를 하시오.

(1) 물체가 떨리면 소리가 (납니다 / 나지 않습니다).

(2) 물체에서 소리가 날 때의 공통점은 (손 / 물체)이/가 떨립니다.

5 다음 중 종을 칠 때나 벌이 날개를 빠르게 움직일 때 소리가 나는 까닭에 대한 설명으로 옳은 것을 두 가지 고르시오. (　　　　,　　　　)

① 살아 있는 생물이기 때문이다.　　② 종을 칠 때 종이 떨리기 때문이다.

③ 벌의 빠른 날갯짓의 떨림 때문이다.　　④ 종이나 벌은 속이 비어 있기 때문이다.

⑤ 종을 칠 때나 벌이 날 때 떨리지 않기 때문이다.

6 오른쪽과 같이 소리가 나는 소리굽쇠를 손으로 세게 움켜잡을 때 나타나는 현상으로 옳은 것을 보기에서 골라 기호를 쓰시오.

㉠ 소리가 멈춥니다.

㉡ 소리가 점점 커집니다.

㉢ 처음과 다른 소리가 계속 납니다.

(　　　　　　　　)

똑똑한 하루 퀴즈

7 다음 □ 안에 들어갈 알맞은 낱말을 말 상자에서 찾아 모두 ○표를 하세요. 말 상자의 낱말은 가로, 세로, 대각선에 숨어 있어요.

고	스	피	커
소	무	★	피
★	리	망	★
종	★	굽	치
꿀	떨	림	쇠

❶ 길쭉한 금속 막대를 'U'자 모양으로 구부려 가운데에 자루를 단 것. □□□□

❷ 소리가 나는 물체는 □□(진동)이 있음.

❸ ❶의 물체를 □□□□로 쳐서 소리를 냄.

❹ 소리를 크게 하여 멀리까지 들리게 하는 기구. □□□

2일 소리의 세기와 높낮이

큰 소리나 작은 소리는 어떻게 낼까?

이 길 중에 탈출구가 있다는 거지?

어, 바람이 부네.

휘 잉

바람? 바람이 부는 곳이 탈출구겠다.

맞아. 막힌 동굴에서 바람이 분다는 건 외부와 연결이 됐다는 거야.

거봐. 탈출구가 있다고 했잖아! 이쪽으로 가자!

휘 잉

그랬나요?

까아아아악 ~~!!!

푸 다 닥

뭐, 뭐야?

퍽 퍽

박쥐 떼다!

삼촌! 등을 세게 치니까 큰 소리가 나요.

후

당연하지. 약하게 치면 작은 소리가 나.

톡 톡

소리의 세기가 다른군요.

내 말이 맞지? 그리고 내가 소리 지르는 거, 들었어?

네. 고음이 잘 올라가니 노래 잘 부르시겠어요.

하 하

으이그~ 그냥 가요!

용어 체크

소리의 세기

소리의 크고 작은 정도. 물체가 떨리는 크기에 따라 소리의 크기가 달라짐.

예 북을 세게 치면 북이 크게 떨리면서 ❶ ____ 소리가 나고, 북을 약하게 치면 북이 작게 떨리면서 ❷ ____ 소리가 난다.

▲ 세게 칠 때 큰 소리가 남.

▲ 약하게 칠 때 작은 소리가 남.

정답 ❶ 큰 ❷ 작은

뼈 실로폰으로 소리의 높낮이가 다르게 연주해!

아~

아아아 아아~~ 이참에 탐험가에서 가수로 직업을 바꿔볼까?

그만!

앗! 저게 뭐지?

여기는 죽음의 동굴인가 봐요.

덜덜

동물의 뼈 같은데.

긴 뼈를 두드리니까 낮은 소리가 나네.

짧은 뼈는 좀 더 높은 소리가 나요.

너까지...!

악기처럼 소리의 높낮이가 변하니깐 재미있어요.

하하

그렇지?

내가 못살아, 다들 그만하세요.

어서 여길 벗어나려면 길을 찾아야 한다고요!

네가 더 시끄러워!

가장 높은 소리야!

잠깐 바람이 더 강하게 부는 것 같아. 다들 나를 따라와. 내가 길을 찾아줄게.

이제 와서 …….

휘잉

용어 체크

소리의 높낮이

소리의 높고 낮은 정도. 떨리는 물체의 길이에 따라 소리의 높낮이가 달라짐.

예 팬 플루트 관의 길이가 짧을수록 ❶ [   ] 은 소리가 나고, 관의 길이가 길수록 ❷ [   ] 은 소리가 난다.

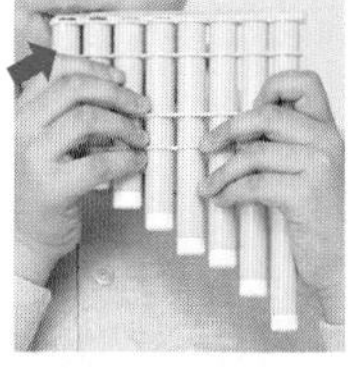

▲ 높은 소리가 남.

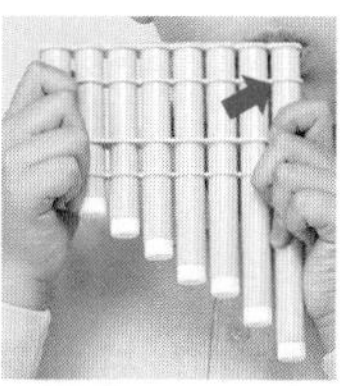

▲ 낮은 소리가 남.

정답 ❶ 높 ❷ 낮

4주

2일 개념 익히기

실험 동영상

1 작은북으로 소리의 세기를 비교해 볼까?

작은 소리가 날 때

약하게 침.
좁쌀
북이 작게 떨리기 때문에
좁쌀이 낮게 튀어 올라.

큰 소리가 날 때

세게 침.
북이 크게 떨리기 때문에
좁쌀이 높게 튀어 올라.

소리의 세기

- 뜻 : **소리의 크고 작은 정도**
- 북을 **치는 세기에 따라** 북이 떨리는 정도가 다르고 소리의 크기가 달라짐.

우리 생활에서 작은 소리 낼 때와 큰 소리 낼 때

오늘의 발표
나의 꿈

작은 소리를 낼 때		큰 소리를 낼 때	
▲ 도서관에서 친구와 이야기할 때	▲ 아기에게 자장가를 불러 줄 때	▲ 멀리 있는 친구를 부를 때	▲ 수업 중 친구들 앞에서 발표할 때

소리의 크고 작은 정도를 소리의 ❶(세기 / 치기)라고 하며, 작은북을 치는 세기에 따라 소리의 크고 작은 정도가 달라집니다.

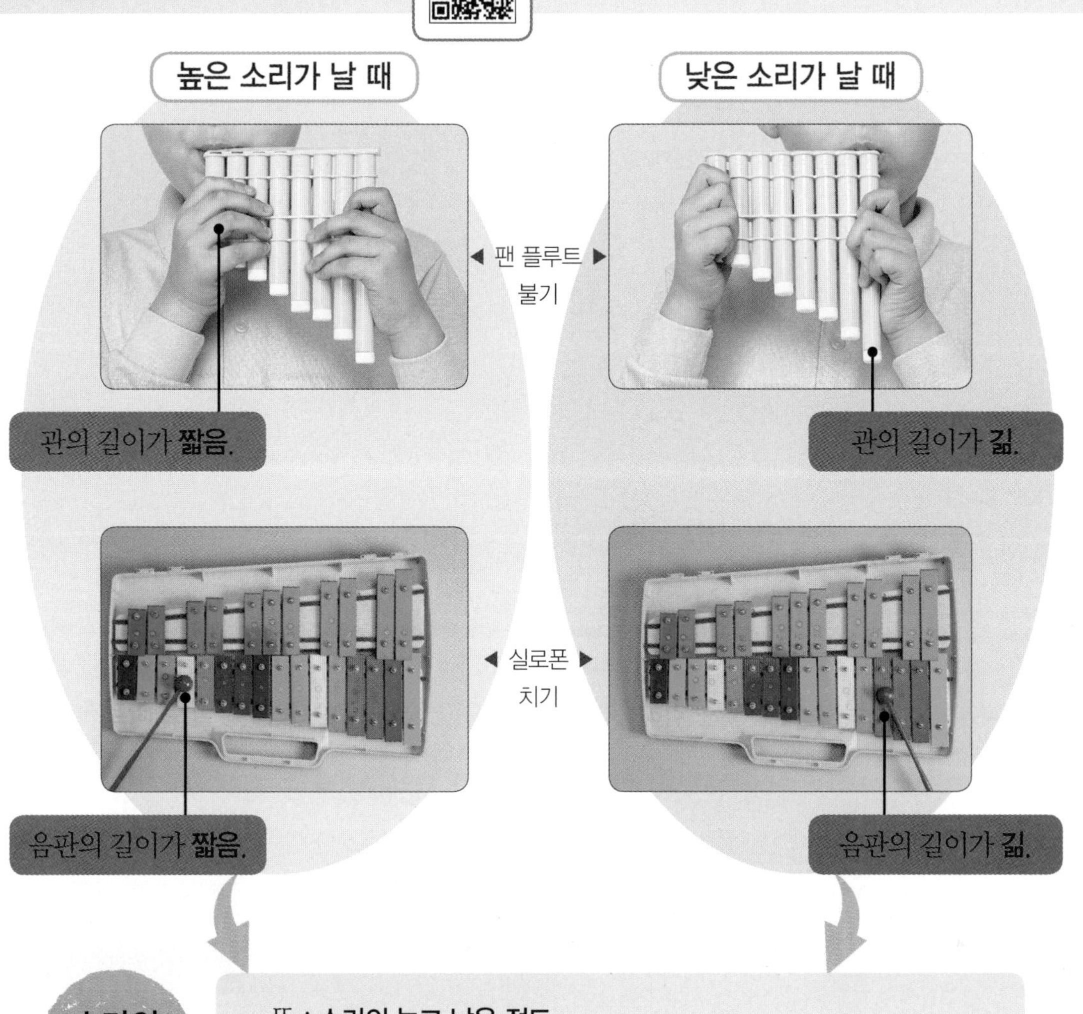

소리의 높낮이
- 뜻 : 소리의 높고 낮은 정도
- 관과 음판의 길이에 따라 소리의 높낮이가 다름.

소리의 높고 낮은 정도를 소리의 높낮이라고 하며, 팬 플루트 관이나 실로폰 음판의 길이에 따라 소리의 ❷(세기 / 높낮이)가 달라집니다.

정답 ❶ 세기 ❷ 높낮이

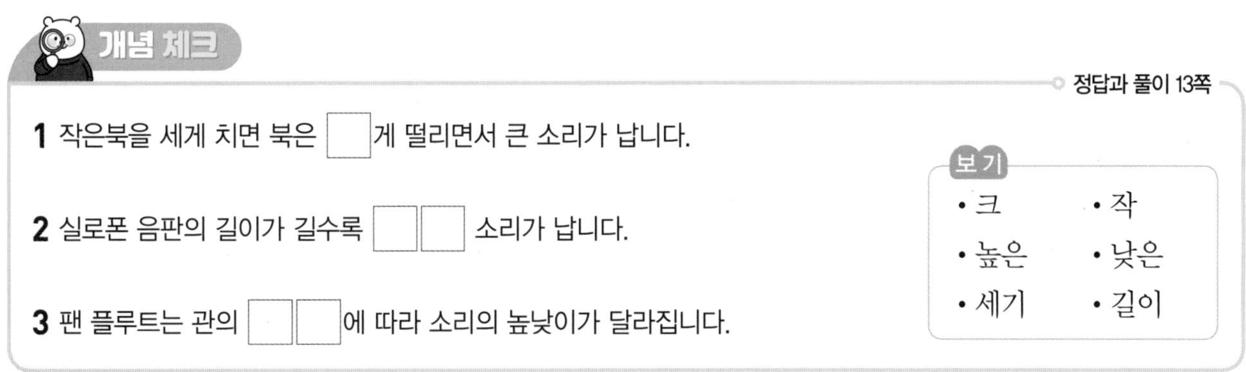

개념 체크

정답과 풀이 13쪽

1 작은북을 세게 치면 북은 [ ]게 떨리면서 큰 소리가 납니다.

2 실로폰 음판의 길이가 길수록 [ ][ ] 소리가 납니다.

3 팬 플루트는 관의 [ ][ ]에 따라 소리의 높낮이가 달라집니다.

보기
- 크
- 작
- 높은
- 낮은
- 세기
- 길이

정답과 풀이 13쪽

1 다음은 작은북 위에 좁쌀을 올려놓고 북채로 치는 모습입니다. 큰 소리가 나는 경우는 '큰', 작은 소리가 나는 경우는 '작'이라고 쓰시오.

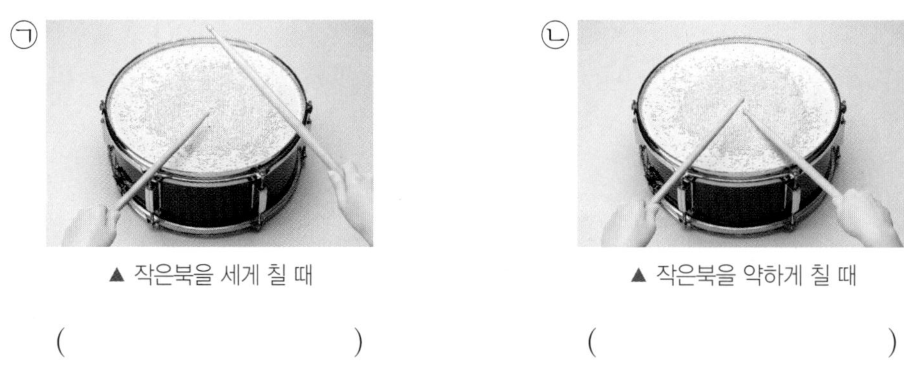

㉠ ▲ 작은북을 세게 칠 때 ( )

㉡ ▲ 작은북을 약하게 칠 때 ( )

2 다음의 작은북을 세게 또는 약하게 칠 때 좁쌀이 튀어 오르는 모습을 줄로 바르게 이으시오.

(1) 작은북을 세게 칠 때 •

(2) 작은북을 약하게 칠 때 •

• ㉠

▲ 좁쌀이 낮게 튐.

• ㉡
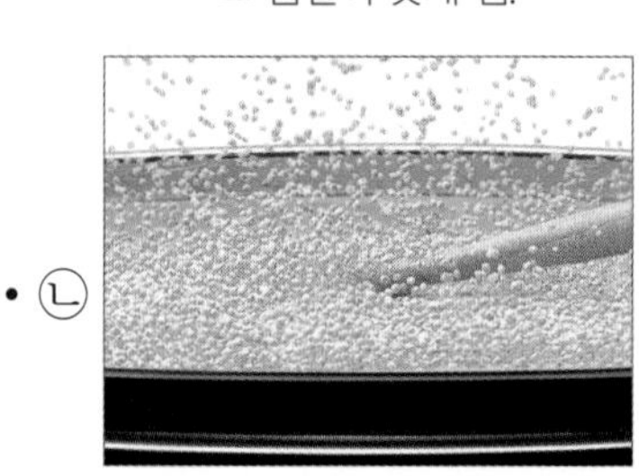
▲ 좁쌀이 높게 튐.

3 다음은 소리의 세기에 대한 설명입니다. ( ) 안의 알맞은 말에 ○표를 하시오.

(1) 소리의 (길고 짧은 / 크고 작은) 정도를 말합니다.

(2) 물체를 세게 치면 물체가 크게 떨리면서 (큰 / 작은) 소리가 납니다.

(3) 물체를 약하게 치면 물체가 작게 떨리면서 (큰 / 작은) 소리가 납니다.

4 다음 중 팬 플루트의 관을 불거나 실로폰의 음판을 칠 때 높은 소리가 나는 경우를 두 가지 고르시오. (　　　,　　　)

① 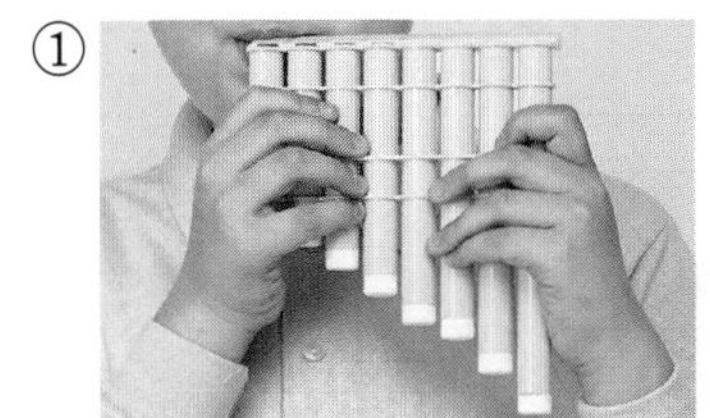
▲ 짧은 관을 불 때

② 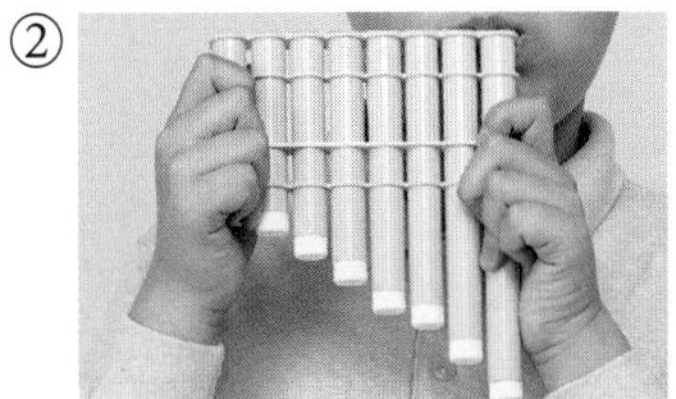
▲ 긴 관을 불 때

③ 
▲ 짧은 음판을 칠 때

④ 
▲ 긴 음판을 칠 때

5 다음 보기에서 위 4번의 팬 플루트와 실로폰의 소리가 높고 낮은 정도가 다르게 나는 것과 가장 관계있는 것을 두 가지 골라 기호를 쓰시오.

보기
- ㉠ 팬 플루트의 관의 길이
- ㉡ 실로폰 음판의 길이
- ㉢ 팬 플루트를 부는 세기
- ㉣ 실로폰 음판을 치는 세기

(　　　,　　　)

집중 연습 문제 소리의 세기와 높낮이

6 다음의 경우에 어떤 소리가 나는지 소리의 세기나 소리의 높낮이와 관련지어 쓰세요.

(1) 작은북을 세게 칠 때 : (　　　　　　) 소리
(2) 작은북을 약하게 칠 때 : (　　　　　　) 소리
(3) 팬 플루트의 긴 관을 불 때 : (　　　　　　) 소리
(4) 팬 플루트의 짧은 관을 불 때 : (　　　　　　) 소리
(5) 실로폰의 긴 음판을 칠 때 : (　　　　　　) 소리
(6) 실로폰의 짧은 음판을 칠 때 : (　　　　　　) 소리

북을 치는 세기에 따라 크거나 작은 소리가 나.
관이나 음판의 길이에 따라 높거나 낮은 소리가 나.

3일 소리의 전달

삼촌 목소리를 어떻게 듣지?

나를 따르라~!
삼촌, 같이 가요.
으아악
이게 무슨 소리지?
삼촌의 비명 소리잖아.
이건 삼촌의 배낭?
삼촌이 구멍에 빠졌나봐.
삼촌이 뭐라고 말하는 거 같은데…….
뭐라고요? 잘 안 들려요~
소리가 전달이 잘 되지 않는 것을 보니 구멍이 생각보다 깊은 거 같아.
삼촌이 말하는 소리가 잘 들리지 않아.
그렇다면 좋은 방법이 있지.
좋은 방법?
척

용어 체크

소리의 전달

소리는 여러 가지 물질을 통해 전달됨. 대부분의 소리는 공기를 통해 우리 귀로 전달되고, 철과 같은 고체, 물과 같은 액체에서도 전달됨.

예 멀리서 친구가 부르는 소리를 들을 수 있는 것은 소리가 공기를 통해 ❶ ________ 되기 때문이다.

정답 ❶ 전달

실 전화기로 통화 중!

이 종이컵과 실을
이용하면 돼.
척
종이컵과 실?

이렇게 실의 떨림으로 소리를
전달하는 실 전화기를
만들면 돼.
야옹
오, 좋은 생각이야.

완성! 어서 삼촌한테
전화기를 던져.
응, 알았어.

이, 이건? 실 전화기!
역시 내 조카들은 똑똑하다니깐.

그런데 생각보다 소리가
잘 들리지 않아.
실 전화기를 더 잘 들리게 하려면
실을 더 팽팽하게 만들면 돼.

얘들아. 여기에서
무슨 소리가 들려.
네? 우리 말고
다른 소리가
들린다고요?
다른 소리?

용어 체크

실 전화기

양 끝에 종이컵을 놓고, 그 사이를 팽팽한 실 등으로 연결하여 소리를 전달하는 것. 실 전화기는 실의 떨림으로 소리가 전달됨.

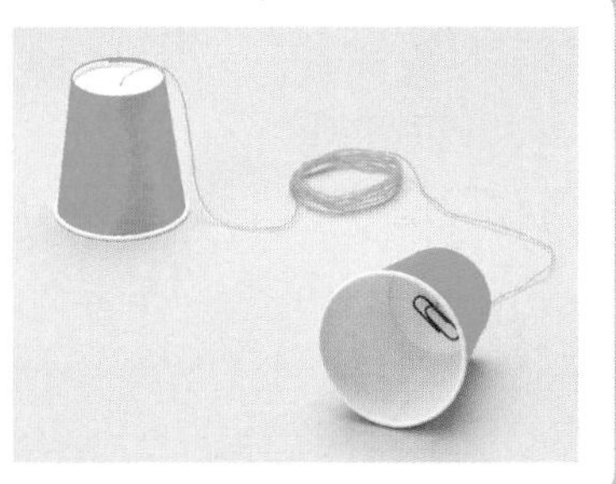

예 ❶ [ ] 의 한쪽 종이컵에 입을 대고 소리를 내면 실을 통해 소리가 전달되어 다른 쪽 종이컵에서 소리를 들을 수 있다.

정답 ❶ 실 전화기

1 소리는 무엇을 통해 전달될까?

공기(기체)를 통한 소리 전달

친구의 목소리가 **공기**를 통해 전달되어 소리를 들을 수 있음.

나무(고체)를 통한 소리 전달

책상을 두드리는 소리가 **나무**를 통해 전달되어 소리를 들을 수 있음.

물(액체)을 통한 소리 전달

물속 스피커의 소리가 **물** 등을 통해 전달되어 소리를 들을 수 있음.

- 우리 생활에서 들리는 대부분의 소리는 기체인 **공기**를 통해 전달됨.
- 나무와 같은 **고체**, 물과 같은 **액체**를 통해서도 전달됨.

☑ 소리가 나는 물체의 떨림은 기체, 고체, 액체 상태의 여러 가지 물질을 통해 ❶(전달 / 차단)됩니다.

2 실을 이용해 소리를 전달할 수 있을까?

실 전화기 만들기

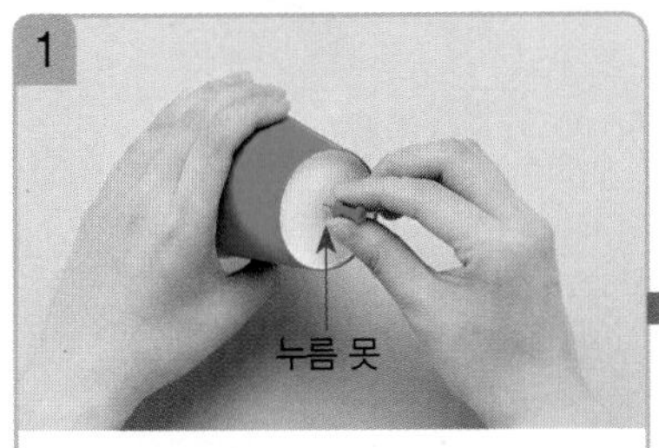

종이컵 바닥에 누름 못으로 구멍 뚫기

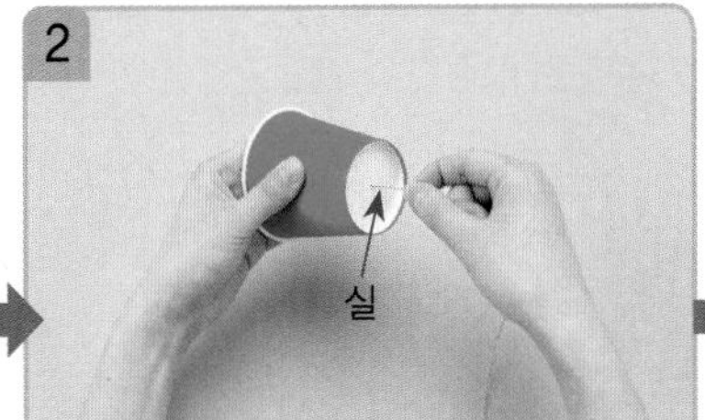

구멍에 실을 넣고 실의 한쪽 끝에 클립 묶기

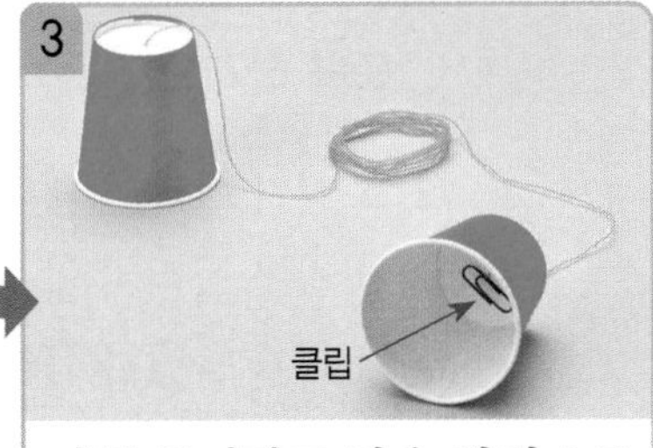

다른 종이컵도 같은 방법으로 만들어 완성하기

실 전화기로 소리 전달하기

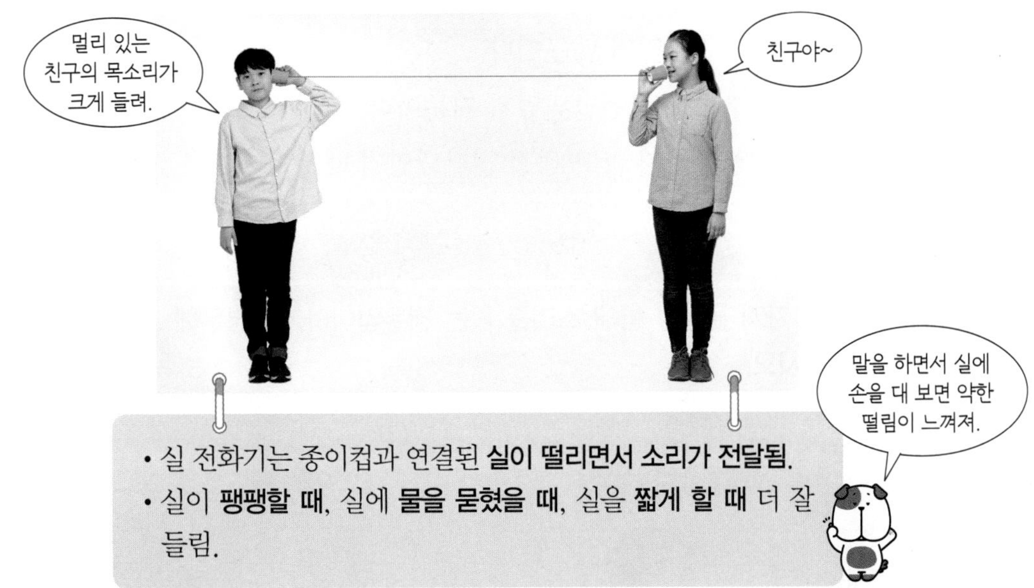

멀리 있는 친구의 목소리가 크게 들려.
친구야~
말을 하면서 실에 손을 대 보면 약한 떨림이 느껴져.

- 실 전화기는 종이컵과 연결된 **실이 떨리면서 소리가 전달됨.**
- 실이 **팽팽할 때**, 실에 **물을 묻혔을 때**, 실을 **짧게 할 때** 더 잘 들림.

실 전화기는 실의 떨림으로 ❷(공기 / 소리)가 전달됩니다.

정답 ❶ 전달 ❷ 소리

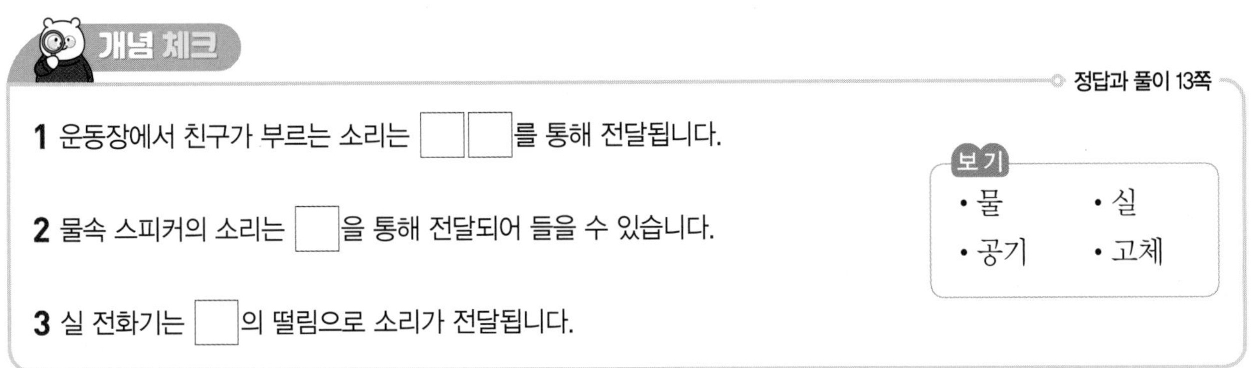

개념 체크

정답과 풀이 13쪽

1 운동장에서 친구가 부르는 소리는 ☐☐를 통해 전달됩니다.

2 물속 스피커의 소리는 ☐을 통해 전달되어 들을 수 있습니다.

3 실 전화기는 ☐의 떨림으로 소리가 전달됩니다.

보기
- 물
- 실
- 공기
- 고체

개념 확인하기

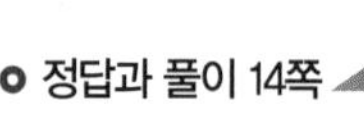

1 오른쪽과 같이 책상을 두드릴 때 책상에 귀를 대고 있던 친구에게 소리는 어떻게 들리는지 설명한 것으로 옳은 것에 ○표를 하시오.

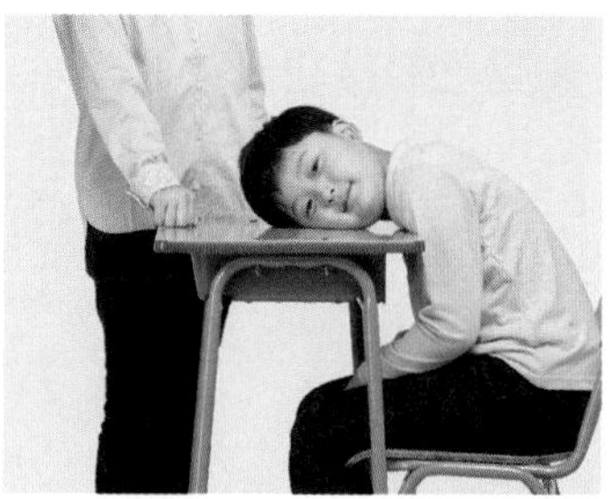

(1) 소리가 잘 들립니다. (　　)

(2) 소리가 들리지 않습니다. (　　)

(3) 소리가 들렸다 들리지 않았다 합니다. (　　)

2 다음 중 위 1번의 답을 고른 까닭으로 옳은 것은 어느 것입니까? (　　)

① 소리가 땅을 통해 전달되었기 때문이다.

② 소리가 나무를 통해 전달되었기 때문이다.

③ 소리가 전달되지 않았기 때문이다.

④ 소리가 공기만을 통해 전달되었기 때문이다.

⑤ 소리가 물질을 통하지 않고 직접 전달되었기 때문이다.

3 다음은 여러 가지 물질을 통해 소리를 듣는 경우입니다. 각 경우에 소리를 전달하는 물질은 무엇인지 쓰시오.

(1)

▲ 친구가 부르는 소리

(　　　　)

(2)

▲ 배의 엔진 소리

(　　　　)

4 다음은 소리의 전달에 대한 설명입니다. □ 안에 들어갈 알맞은 말을 쓰시오.

> 소리는 기체인 공기, 나무나 철과 같은 고체, 물과 같은 액체 등 여러 가지 □을/를 통해 전달됩니다.

(　　　　)

5 다음은 오른쪽 실 전화기를 이용한 전화 놀이에 대한 설명입니다. □ 안에 들어갈 알맞은 말을 보기에서 골라 쓰시오.

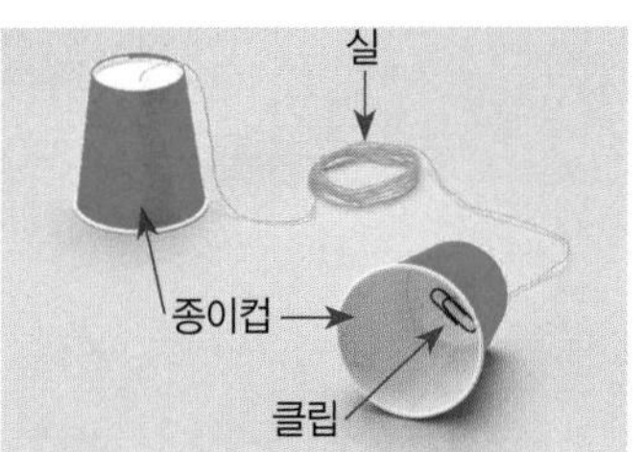

보기
실, 클립, 공기, 종이컵, 있음, 없음

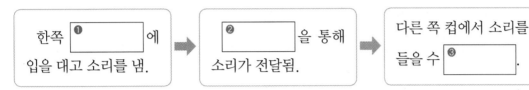

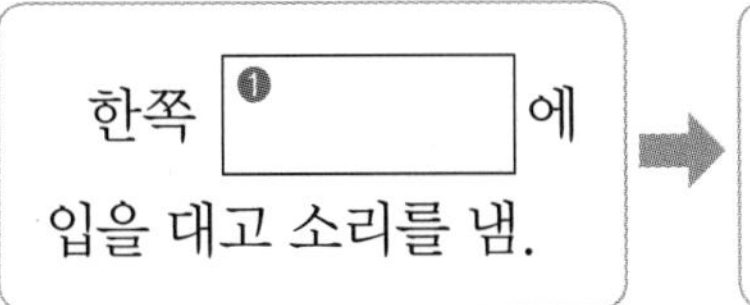
한쪽 ❶ □ 에 입을 대고 소리를 냄.

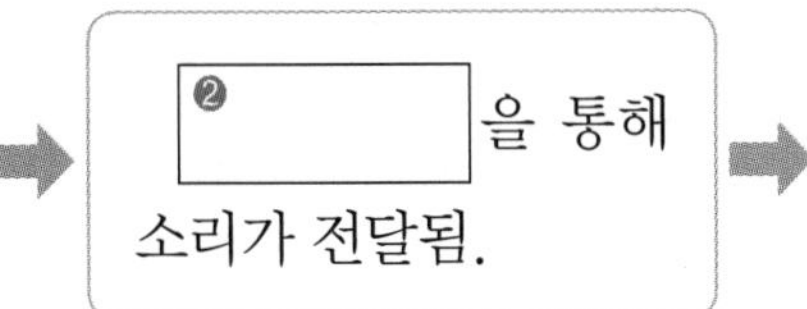
❷ □ 을 통해 소리가 전달됨.

다른 쪽 컵에서 소리를 들을 수 ❸ □.

6 다음 중 위 **5**번의 실 전화기의 소리가 어떻게 전달되는지 바르게 설명한 것은 어느 것입니까? (   )

① 손을 통해 소리가 전달된다.
② 땅을 통해 소리가 전달된다.
③ 실의 떨림으로 소리가 전달된다.
④ 실을 통하지 않고 소리가 전달된다.
⑤ 실의 떨림이 멈추면 소리가 전달된다.

똑똑한 하루 퀴즈

7 다음 □ 안에 들어갈 알맞은 낱말을 말 상자에서 찾아 모두 ○표를 하세요. 말 상자의 낱말은 가로, 세로, 대각선에 숨어 있어요.

실	★	물	★
놀	전	달	질
이	★	화	공
★	클	립	기
나	무	★	차

❶ 소리는 고체, 액체, 기체 □□을 통해 전달됨.
❷ 멀리서 친구가 부르는 소리는 □□를 통해 전달되어 들을 수 있음.
❸ 소리는 기체, 고체, 액체를 통해서도 □□됨.
❹ 양 끝에 종이컵을 놓고, 그 사이를 팽팽한 실 등으로 연결하여 소리를 전달하는 것. □ □□□

4일 소리의 반사

소리가 되돌아온다고?

여기 구멍에도 길이 있는데 앞쪽에서 소리가 들려.

네? 앞쪽이요?

삼촌이 있는 구멍 앞쪽에서 소리가 난다는데?

혹시 삼촌 목소리가 **반사**된 게 아닐까?

삼촌! 그거 삼촌 목소리의 **메아리** 아니에요?

아니야. 동굴 벽에 반사되어 들리는 메아리는 내가 말하고 나서 들려야 하는데 이건 다른 소리야!

메아리가 아니라는데.

짝

그렇다면 실험을 해보자. 짝!

짝~

소리가 반사되는 메아리는 여기서 들리잖아.

역시!

탈출구가 있는 쪽은 여기가 아니라 삼촌이 있는 구멍이 있는 곳이야.

그러고 보니 여기서는 바람도 불지 않는 거 같아.

용어 체크

소리의 반사

소리가 나아가다가 물체에 부딪쳐 되돌아오는 성질

예 목욕탕에서 소리를 내면 소리가 벽에 ❶ ________ 되어 울린다.

메아리

산, 동굴 등에서 큰 소리로 외치면 그 소리가 산이나 벽에 부딪치면서 다시 나는 현상 또는 그 소리

예 동굴에서 큰 소리를 내자 잠시 뒤에 ❷ ________ 가 들렸다.

정답 ❶ 반사 ❷ 메아리

반갑다. 소음아!

용어 체크

소음
사람의 기분을 좋지 않게 만들거나 건강을 해칠 수 있는 시끄러운 소리

예 밤 늦게 들리는 피아노 소리는 잠을 방해하는 ❶ ______ 이다.

방음
소음을 줄이기 위해 소리를 흡수하거나 소리를 반사하는 것을 이용하여 소리의 전달을 막는 것

예 음악실 벽은 ❷ ______ 물질을 붙여 소음을 줄인다.

정답 ❶ 소음 ❷ 방음

4일 개념 익히기

1 소리가 나아가다 물체에 부딪치면 어떻게 될까?

소리의 반사 : 소리가 물체에 부딪쳐 **되돌아오는** 성질

우리 생활에서 소리가 물체에 부딪쳐 되돌아오는 현상

야호
야호!

▲ 암벽 산에서 들려오는 메아리

모두 소리가 반사되는 현상이야.
짝!

▲ 텅 빈 체육관에서 되돌아오는 박수 소리

실험 동영상

소리가 나는 스피커를 통 속에 넣고 여러 가지 물체를 이용해 소리의 방향을 바꿔 듣기

아무것도 들지 않고 소리 듣기

❶
소리가 작게 들려.
플라스틱 통
스피커

부드러운 판을 들고 소리 듣기

❷
스타이로폼판
아까보다 크게 들려.

딱딱한 판을 들고 소리 듣기

❸
나무판
소리가 가장 크게 들려.

소리가 크게 들리는 순서 : ❸, ❷, ❶

까닭

- 소리가 나아가다 스타이로폼판이나 나무판에 부딪히면 되돌아와서 듣는 사람의 귀로 전달되기 때문에 소리가 더 크게 들림.
- 스타이로폼, 나무에 따라 소리가 부딪쳐 되돌아오는 정도가 다름.

소리는 나아가다 물체에 부딪치면 ❶(전달 / 반사)되는데 딱딱한 물체에서는 잘 반사되지만, 부드러운 물체에서는 잘 반사되지 않습니다.

2 우리 주변의 소음을 어떻게 줄일까?

우리 주변의 소음

땅을 파는 기계

소음 : 자동차 소리, 굴착기 소리, 피아노 소리, 확성기 소리, 비행기 소리, 땅 뚫는 소리 등

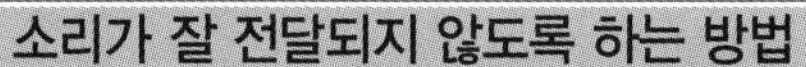

소음을 줄이는 방법

소리가 잘 전달되지 않도록 하는 방법

음악실 방음벽 : **소리가 잘 전달되지 않는 물질**을 벽에 붙임.

소리를 반사시키는 방법

도로 방음벽 : 도로에서 생기는 **소리를 반사**시킴.

소리가 잘 전달되지 않도록 하거나 소리를 반사시켜 소음을 줄일 수 있어.

소리의 세기를 줄이거나 음악실 방음벽과 도로 방음벽처럼 소리의 전달과 반사 정도를 조절하여 ❷(소음 / 방음)을 줄일 수 있습니다.

정답 ❶ 반사 ❷ 소음

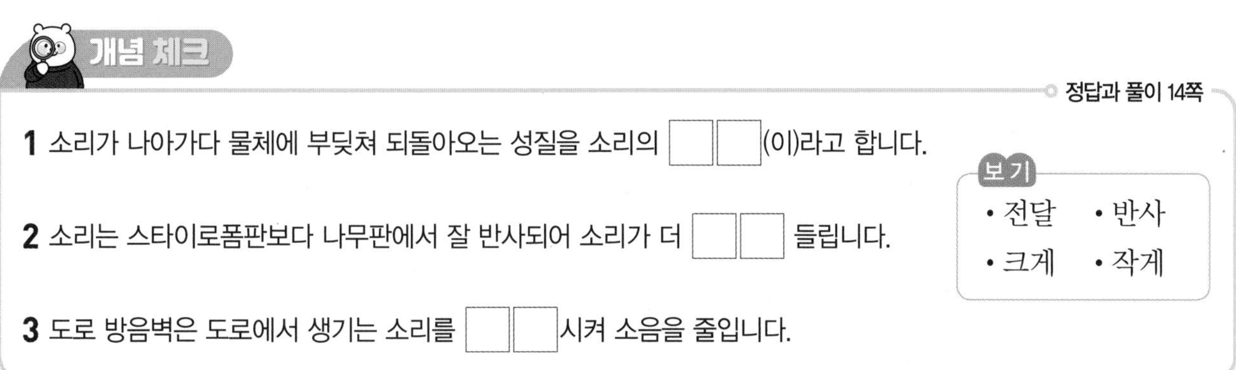

개념 체크

정답과 풀이 14쪽

1 소리가 나아가다 물체에 부딪쳐 되돌아오는 성질을 소리의 □□(이)라고 합니다.

2 소리는 스타이로폼판보다 나무판에서 잘 반사되어 소리가 더 □□ 들립니다.

3 도로 방음벽은 도로에서 생기는 소리를 □□시켜 소음을 줄입니다.

보기
- 전달
- 반사
- 크게
- 작게

개념 확인하기

정답과 풀이 14쪽

1 다음은 소리가 나는 스피커를 통 속에 넣고 여러 가지 물체를 이용해 소리를 들어 보는 모습입니다. 소리가 크게 들리는 순서대로 기호를 쓰시오.

▲ 아무것도 들지 않고 소리 듣기 ▲ 나무판을 들고 소리 듣기 ▲ 스타이로폼판을 들고 소리 듣기

( )

2 다음 중 위 1번의 활동과 관계있는 소리의 성질은 어느 것입니까? ( )

① 소리의 발생
② 소리의 반사
③ 소리의 세기
④ 소리의 종류
⑤ 소리의 높낮이

3 다음은 소리의 반사에 대한 설명입니다. □ 안에 들어갈 알맞은 말을 쓰시오.

소리가 나아가다가 물체에 부딪쳐 □ 성질을 소리의 반사라고 합니다.

( )

4 다음의 상황과 관계있는 소리의 성질을 줄로 바르게 이으시오.

(1) 실 전화기로 하는 전화 놀이 •
(2) 산이나 동굴에서 들려오는 메아리 •

• ㉠ 소리의 반사
• ㉡ 고체를 통한 소리의 전달

5 다음 그림에서 소음이 생기는 경우를 세 가지 찾아 ○표를 하시오.

6 다음의 소음을 줄이는 방법에 해당하는 것을 보기에서 골라 각각 기호를 쓰시오.

보기

㉠ 도로 방음벽　　　　㉡ 음악실 방음벽

(1) 소리가 잘 전달되지 않는 물질을 벽에 붙입니다. (　　　)

(2) 소음이 방음벽 밖으로 나오지 않도록 반사시킵니다. (　　　)

똑똑한 하루 퀴즈

7 다음 □ 안에 들어갈 알맞은 낱말을 말 상자에서 찾아 모두 ○표를 하세요. 말 상자의 낱말은 가로, 세로, 대각선에 숨어 있어요.

전	높	낮	이
달	★	반	사
★	방	층	★
소	음	사	세
★	벽	★	기

1. 사람의 기분을 좋지 않게 만들거나 건강을 해칠 수 있는 시끄러운 소리. □□
2. 음악실 벽에 소리가 잘 □□되지 않는 물질을 붙임.
3. 소리를 반사시켜 소음을 줄이는 도로 □□□
4. 소리가 나아가다 물체에 부딪쳐 되돌아오는 성질. 소리의 □□

5일 4주 마무리하기

1 소리 나는 물체

① **물체에서 소리가 날 때의 공통점**
- 물체가 떨립니다.
- 손을 대 보면 떨림이 느껴집니다.

② **소리가 나는 물체를 소리가 나지 않게 하는 방법** : 소리가 나는 물체를 떨리지 않게 합니다. ㉠ 소리 나는 소리굽쇠를 손으로 움켜잡으면 소리굽쇠의 떨림이 멈춰 소리가 멈춥니다.

2 소리의 세기와 높낮이

좁쌀이 튀어 오르는 모습을 보고 북이 떨리는 크기를 알 수 있어.

① **소리의 세기** : 소리의 크고 작은 정도입니다.

작은 소리	큰 소리
좁쌀이 낮게 튀어 오름.	좁쌀이 높게 튀어 오름.
작은북을 약하게 치면 → 북이 작게 떨리면서 → 작은 소리가 남.	작은북을 세게 치면 → 북이 크게 떨리면서 → 큰 소리가 남.

➡
- 소리의 세기는 큰 소리와 작은 소리로 나뉨.
- 물체가 떨리는 크기에 따라 소리의 크고 작은 정도가 달라짐.

관이나 음판의 길이가 짧을수록 높은 소리가 나.

② **소리의 높낮이** : 소리의 높고 낮은 정도입니다.

높은 소리		낮은 소리	
		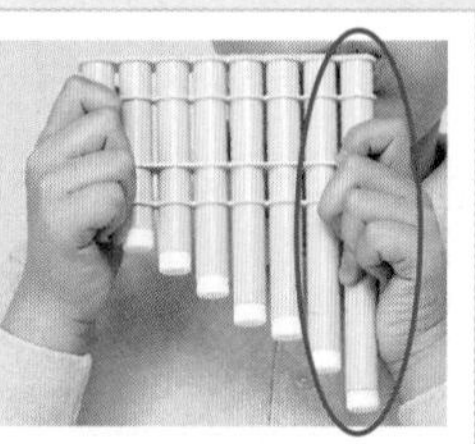	
관이나 음판의 길이가 짧음.		관이나 음판의 길이가 긺.	

➡
- 소리의 높낮이는 높은 소리와 낮은 소리로 나뉨.
- 관이나 음판의 길이에 따라 소리의 높낮이가 달라짐.

3 소리의 전달

① **소리의 전달** : 소리는 공기, 철, 물 등과 같이 여러 가지 물질을 통해 전달됩니다.

② **공기를 뺄 수 있는 장치에 소리가 나는 스피커를 넣고 공기를 뺄 때** : 소리가 작아지는데 그 까닭은 소리를 전달하는 물질인 공기가 줄어들기 때문입니다.

③ **실 전화기에서 소리의 전달** : 실의 떨림으로 소리가 전달됩니다.

4 소리의 반사

① **소리의 반사** : 소리가 나아가다가 물체에 부딪치면 되돌아오는 성질입니다.

② **여러 가지 물체를 이용해 소리 반사하기** : 소리는 딱딱한 물체에서는 잘 반사되지만, 부드러운 물체에서는 잘 반사되지 않습니다.

▲ 나무판을 들고 소리 듣기

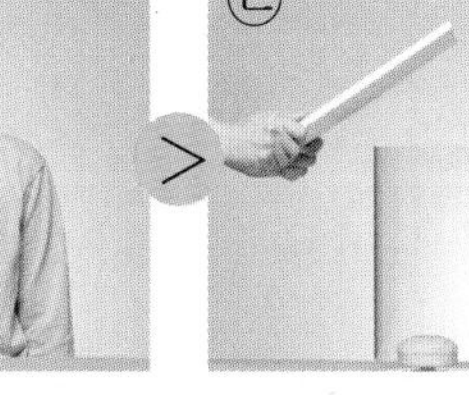

▲ 스타이로폼판을 들고 소리 듣기

▲ 아무것도 들지 않고 소리 듣기

③ **소음을 줄이는 방법** ㉳

- 음악실의 방음벽 : 소리가 잘 전달되지 않도록 합니다.
- 도로 방음벽 : 도로에서 생기는 소리를 반사시켜 소음을 줄일 수 있습니다.

음악실 벽에 붙인 물질의 정체?!

음악실이나 녹음실에서는 노래와 악기 소리로 인해 소음이 생겨요. 그래서 음악실이나 녹음실 벽에 소리가 잘 전달되지 않는 물질을 붙입니다. 이런 물질을 흡음재, 차음재라고 해요. 소리를 흡수하는 재료인 흡음재나 소리를 전달하지 않고 차단하는 재료인 차음재는 주로 표면이 거친 물질이나 작은 구멍이 많은 스타이로폼 등을 사용해요.

▲ 음악실 방음벽

5일 4주 마무리하기

1일 소리 나는 물체

1 다음의 경우에 각각 손을 대 본 느낌을 줄로 바르게 이으시오.

(1) 소리가 나는 목 •
(2) 소리가 나지 않는 목 •
(3) 소리가 나는 스피커 •
(4) 소리가 나지 않는 스피커 •

• ㉠ 떨림이 없음.
• ㉡ 떨림이 느껴짐.

2 소리굽쇠를 물에 대었을 때 오른쪽과 같이 물이 튀어 오른 경우에 대한 설명으로 옳은 것을 두 가지 고르시오. (　　　,　　　)

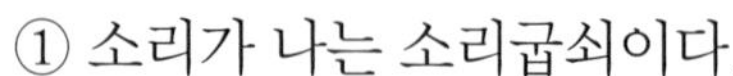

① 소리가 나는 소리굽쇠이다.

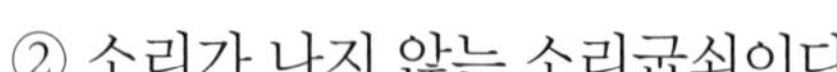

② 소리가 나지 않는 소리굽쇠이다.
③ 소리굽쇠에 손을 대면 떨림이 느껴진다.
④ 소리굽쇠에 손을 대도 아무 느낌이 없다.
⑤ 소리굽쇠와 물이 튀어 오르는 것은 아무 관계가 없다.

3 다음은 소리가 나는 물체의 공통점입니다. □ 안에 알맞은 말을 쓰시오.

> 소리가 나는 물체에는 □ 이/가 있습니다.

2일 소리의 세기와 높낮이

4 다음 중 소리의 크고 작은 정도인 소리의 세기와 관련 있는 것을 두 가지 고르시오.
(　　　,　　　)

① 손뼉을 세게 친다.　　② 손뼉을 약하게 친다.
③ 노래를 높게 부른다.　　④ 노래를 낮게 부른다.
⑤ 실로폰의 음판을 빠르게 친다.

정답과 풀이 15쪽

5 다음은 오른쪽과 같이 작은북 위에 좁쌀을 올려놓고 힘의 세기를 다르게 하여 칠 때 일어나는 현상을 정리한 것입니다. ( ) 안의 알맞은 말에 ○표를 하시오.

구분	세게 칠 때	약하게 칠 때
소리	❶(큰 / 작은 / 높은 / 낮은) 소리	❷(큰 / 작은 / 높은 / 낮은) 소리
북의 떨림	❸(크게 / 작게) 떨림.	❹(크게 / 작게) 떨림.
좁쌀의 모습	❺(낮게 / 높게) 튀어 오름.	❻(낮게 / 높게) 튀어 오름.

6 다음과 같이 팬 플루트의 관을 불 때 낮은 소리가 나는 경우의 기호를 쓰시오.

㉠ 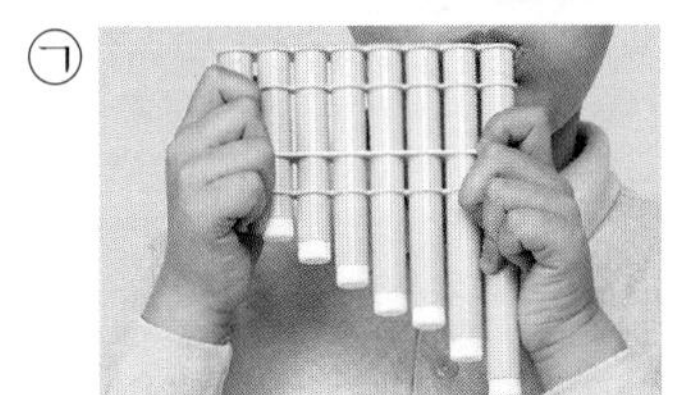
▲ 긴 관을 불 때

㉡ 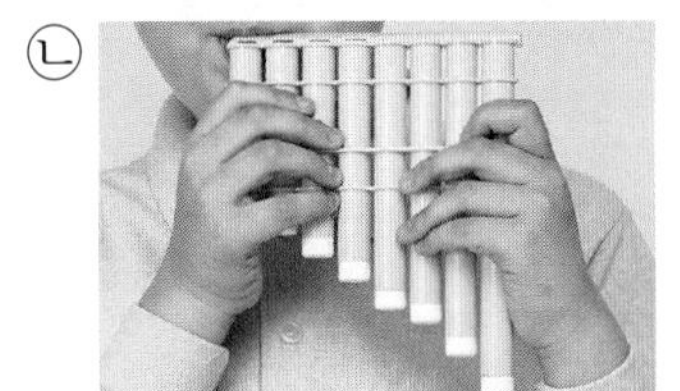
▲ 짧은 관을 불 때

( )

서술형

7 오른쪽 실로폰의 ㉠, ㉡, ㉢ 음판을 치면서 소리를 비교하였습니다. (단, 음판을 치는 세기는 모두 같습니다.)

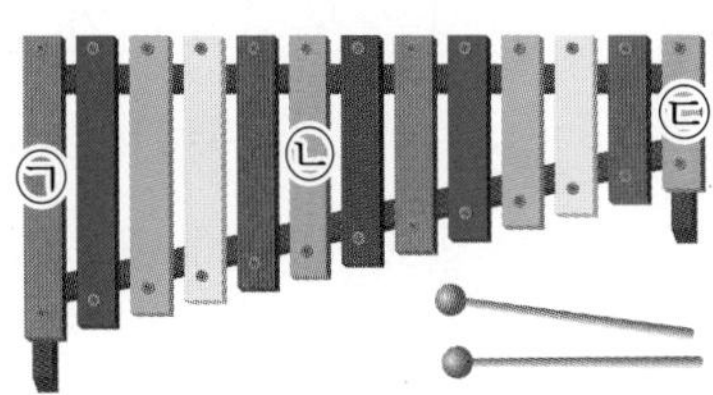

(1) 위 활동은 소리의 세기와 소리의 높낮이 중 무엇을 비교하는 것인지 쓰시오.

소리의 ( )

(2) 실로폰의 음판을 ㉠, ㉡, ㉢ 순서로 칠 때 소리가 어떻게 달라지는지 쓰시오.

3일 소리의 전달

8 다음 중 소리의 전달에 대한 설명으로 옳은 것에는 ○표, 옳지 않은 것에는 ×표를 하시오.

⑴ 멀리 있는 친구가 부르는 소리는 공기를 통해 전달됩니다. ( )

⑵ 소리는 기체를 통해서만 전달됩니다. ( )

⑶ 소리가 나는 물체의 떨림은 물질을 통해 전달됩니다. ( )

⑷ 우리 생활에서 들리는 대부분의 소리는 땅을 통해 전달됩니다. ( )

[9~10] 다음은 실 전화기로 친구와 전화 놀이를 하는 모습입니다. 물음에 답하시오.

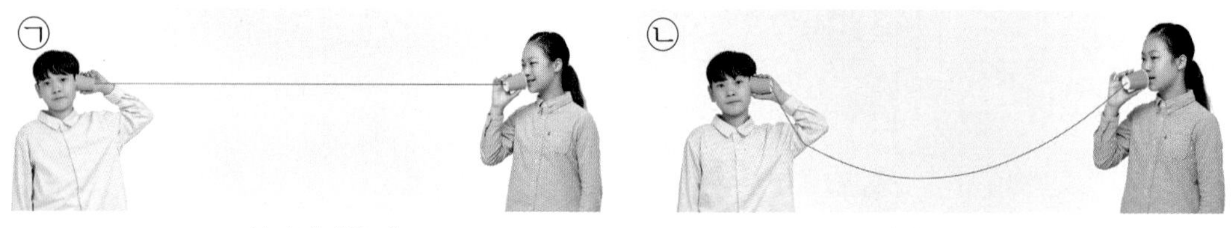

▲ 실이 팽팽할 때 ▲ 실이 느슨할 때

9 다음 중 위의 실 전화기에서 소리가 전달되는 방법으로 옳은 것은 어느 것입니까? ( )

① 땅을 통해 소리가 전달된다.
② 실이 떨리면서 소리가 전달된다.
③ 종이컵을 통해 소리가 전달된다.
④ 클립이 떨리면서 소리가 전달된다.
⑤ 실의 떨림이 멈추면서 소리가 전달된다.

10 위의 ㉠과 ㉡ 중 소리가 더 잘 들리는 경우를 골라 기호를 쓰시오.

( )

4일 소리의 반사

11 다음 보기에서 소리의 반사에 대한 설명으로 옳은 것을 골라 기호를 쓰시오.

보기
㉠ 소리가 나아가다가 물체에 부딪치면 되돌아오지 않습니다.
㉡ 소리는 딱딱한 물체에서는 잘 반사되지 않습니다.
㉢ 물체의 종류에 따라 소리가 반사되는 정도가 다릅니다.

( )

12 다음 중 소리가 반사되는 성질과 관련이 가장 적은 것을 골라 기호를 쓰시오.

▲ 소리가 울리는 목욕탕

▲ 도로 방음벽

▲ 음악실 방음벽

( )

똑똑한 하루 퀴즈

13 다음 십자말풀이를 해 보세요.

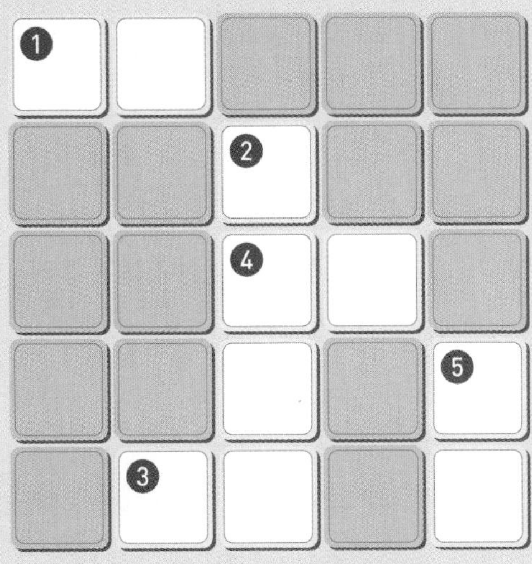

가로

1 소리가 나아가다가 물체에 부딪쳐 되돌아오는 것. 소리의 □□
3 소리의 크고 작은 정도. 소리의 □□
4 소리는 여러 가지 물질을 통해 □□됨.

세로

2 종이컵 2개를 실로 연결해 소리를 전달하는 것
5 기분이나 건강을 해칠 수 있는 시끄러운 소리

4주 누구나 100점 TEST

맞은 개수 /10개

1 다음 중 손을 대 보았을 때 떨림이 느껴지지 않는 것은 어느 것입니까? (　　　)

① 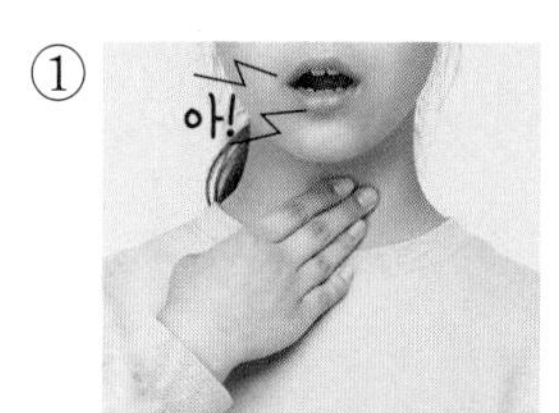

▲ 소리 나는 목

② 
▲ 소리 나는 종

③ 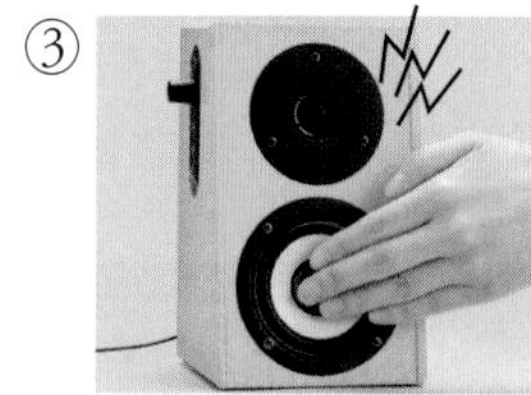
▲ 소리 나는 스피커

④ 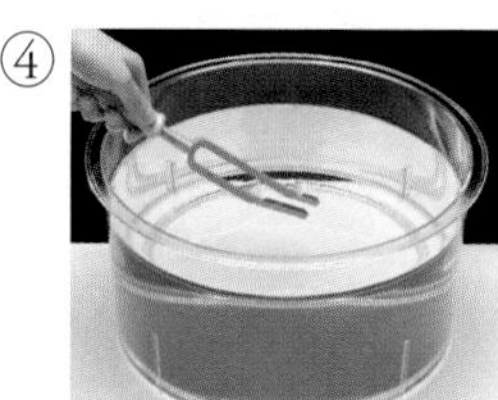
▲ 소리 나지 않는 소리굽쇠

2 다음 중 소리 나는 소리굽쇠의 소리를 멈추게 하는 방법으로 가장 적절한 것은 어느 것입니까? (　　　)

① 소리굽쇠를 물에 대 본다.
② 소리굽쇠를 고무망치로 친다.
③ 소리굽쇠를 계속 떨리게 만든다.
④ 소리굽쇠를 손으로 세게 움켜잡는다.
⑤ 소리굽쇠를 다른 소리굽쇠에 가까이 가져간다.

3 소리의 크고 작은 정도를 무엇이라고 하는지 (　　) 안의 알맞은 말에 ○표를 하시오.

소리의 (세기 / 빠르기 / 높낮이)

4 다음은 작은북을 치는 세기에 따라 나는 소리를 설명한 것입니다. ㉠~㉢에 들어갈 알맞은 말을 바르게 짝지은 것은 어느 것입니까? (　　　)

작은북을 [㉠] 치면 작은북이 [㉡]게 떨리면서 [㉢]은 소리가 납니다.

	㉠	㉡	㉢
①	약하게	작	작
②	세게	작	큰
③	약하게	크	큰
④	세게	작	작
⑤	약하게	크	작

5 다음 중 소리의 높낮이에 대한 설명으로 옳지 않은 것은 어느 것입니까? (　　　)

① 소리의 높고 낮은 정도를 소리의 높낮이라고 한다.
② 리코더는 소리의 높낮이를 이용해 연주할 수 있다.
③ 작은북은 치는 세기에 따라 소리의 높낮이가 다르다.
④ 실로폰은 음판의 길이에 따라 소리의 높낮이가 다르다.
⑤ 팬 플루트의 짧은 관과 긴 관에서 나는 소리의 높낮이가 다르다.

6 **다음 중 소리의 전달에 대한 설명으로 옳은 것은 어느 것입니까? (   )**

① 소리는 공기를 통해서만 전달된다.
② 물속에서는 소리가 전달되지 않는다.
③ 학교 종소리는 공기를 통해 전달된다.
④ 소리는 물질을 통하지 않고 직접 전달된다.
⑤ 우리 생활에서 들리는 대부분의 소리는 땅을 통해 전달된다.

7 **다음과 같이 실 전화기에 말을 하면 상대방은 소리를 들을 수 있습니다. 이때 실 전화기에 대한 설명으로 옳지 않은 것을 두 가지 고르시오.**
(,   )

① 실의 떨림으로 소리가 전달된다.
② 종이컵을 통해 소음이 점점 커진다.
③ 실의 길이가 길수록 소리가 더 잘 들린다.
④ 실 전화기에 말을 하면서 실에 손을 대 보면 약한 떨림이 느껴진다.
⑤ 실을 팽팽하게 할수록 실 전화기의 소리가 더 잘 들린다.

8 **오른쪽과 같이 공기를 뺄 수 있는 장치에 소리가 나는 스피커를 넣고 공기를 빼면 소리가 어떻게 들립니까? (   )**

▲ 통 안의 공기를 빼는 모습

① 소리가 커진다.
② 소리가 작아진다.
③ 높은 소리가 난다.
④ 낮은 소리가 난다.
⑤ 메아리 소리가 난다.

9 **다음과 관련 있는 소리의 성질을 쓰시오.**

- 텅 빈 강당에서 박수를 치니 소리가 울렸습니다.
- 천장에 반사판을 설치하여 공연장 전체에 소리를 골고루 전달합니다.

소리의 (   )

10 **오른쪽의 도로에 설치한 (가)에 대한 설명으로 옳지 않은 것을 보기에서 골라 기호를 쓰시오.**

보기
㉠ 도로 방음벽입니다.
㉡ 소음을 줄이는 것입니다.
㉢ 소리의 반사를 이용한 것입니다.
㉣ 소리가 잘 전달되는 물질로 만듭니다.

(   )

4주

4주 특강 생활 속 과학

소리의 특성을 지어 주는 3요소를 살펴봅니다.

소리를 특징지어 주는 소리의 3요소

피아노의 '도'를 세게 칠 때와 약하게 칠 때 어떻게 다른 걸까? 피아노의 높은 음의 소리와 낮은 음의 소리가 명확하게 구분되는 까닭은 무엇일까? 같은 음 '도'를 연주하는데 피아노의 '도'와 리코더의 '도'는 어떻게 다르게 느껴지는 걸까? 모든 소리는 소리의 세기, 높낮이, 음색(맵시)으로 그 특성을 나타내요.

소리의
음색

1 다음 붙임쪽지의 ○ 안에 들어갈 알맞은 낱말을 아래 큐브에서 찾아 모두 ○표를 하세요. 큐브의 낱말은 가로, 세로, 대각선에 숨어 있어요.

❶ 소리의 크고 작은 정도. 소리의 ○○

❷ 소리의 높고 낮은 정도. 소리의 ○○○

❸ 피아노의 '도'와 리코더의 '도'는 소리의 ○○ 때문에 구분됨.

❹ 실로폰의 긴 음판을 칠 때 나는 소리. ○○ 소리

❺ 작은북을 약하게 칠 때 나는 소리. ○○ 소리

사고 쑥쑥

사다리타기를 통해 소리의 세기와 높낮이를 살펴봅니다.

2 사다리를 타고 내려갔을 때 각 친구들이 들은 소리는 어떤 소리인지 보기에서 골라 쓰세요.

보기
큰 작은 낮은 높은

인영 찬우 진희 영철

▲ 작은북을 약하게 칠 때

▲ 짧은 음판을 칠 때

▲ 작은북을 세게 칠 때

▲ 긴 음판을 칠 때

(1) 인영 ( ) 소리 (2) 찬우 ( ) 소리

(3) 진희 ( ) 소리 (4) 영철 ( ) 소리

소리 전달관을 통해 소리의 전달과 반사를 살펴봅니다.

3 다음은 복잡하게 얽힌 소리 전달관이에요. 찬우가 내는 소리를 잘 들을 수 있는 친구 두 명을 찾아 이름을 쓰세요.

(,)

4주

창의·융합·코딩

논리 탄탄

코딩을 통해 소리가 잘 반사되는 경우를 살펴봅니다.

4 오른쪽과 같이 스피커에서 나는 소리를 반사판을 이용하여 들을 때 코딩판에서 소리가 크게 들리는 순서대로 지나 도착점에 도달할 수 있도록 코딩 명령어를 그려 보세요.

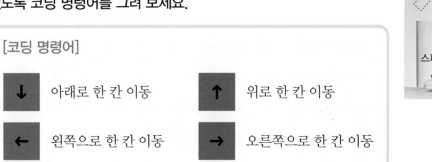

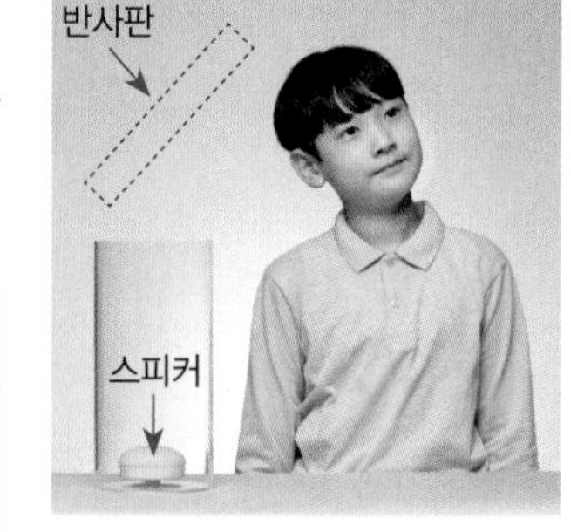

[코딩 명령어]

↓	아래로 한 칸 이동	↑	위로 한 칸 이동
←	왼쪽으로 한 칸 이동	→	오른쪽으로 한 칸 이동

[코딩판]

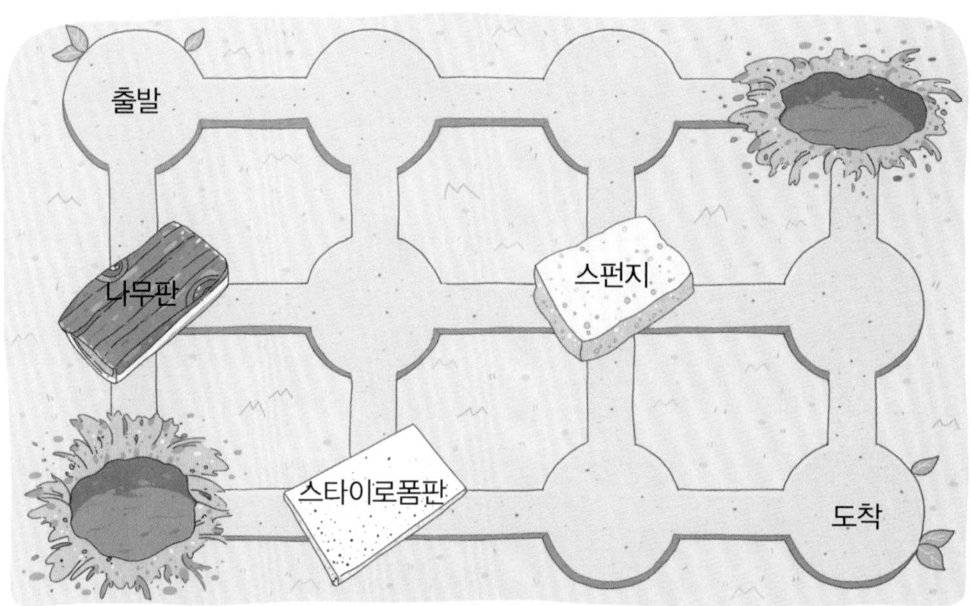

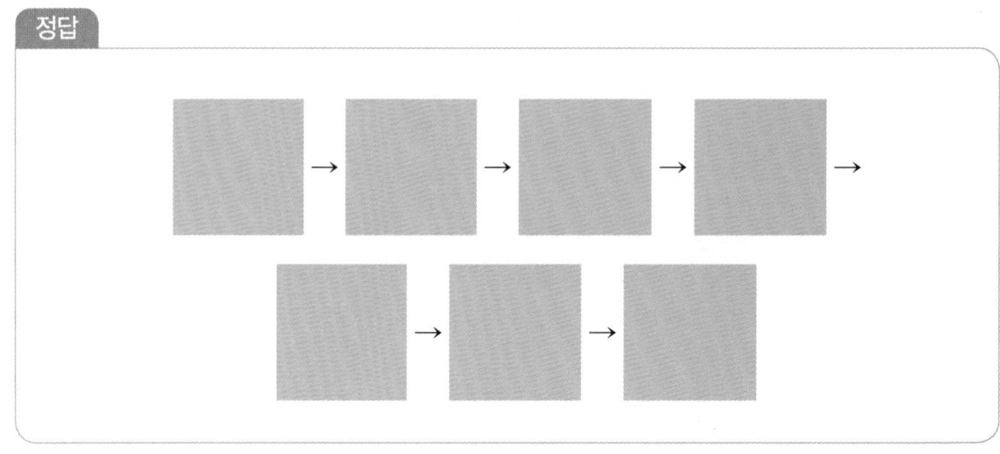

순서도를 통해 물체에서 소리가 날 때와 소리를 멈추는 방법을 살펴봅니다.

5 **다음은 소리굽쇠를 소리 나게 하고, 다시 소리를 멈추게 하는 방법입니다. □ 안에 알맞은 명령어를 넣어 순서도를 완성하고, 문제를 해결하는 과정에 맞게 길을 따라가며 표시하세요.**

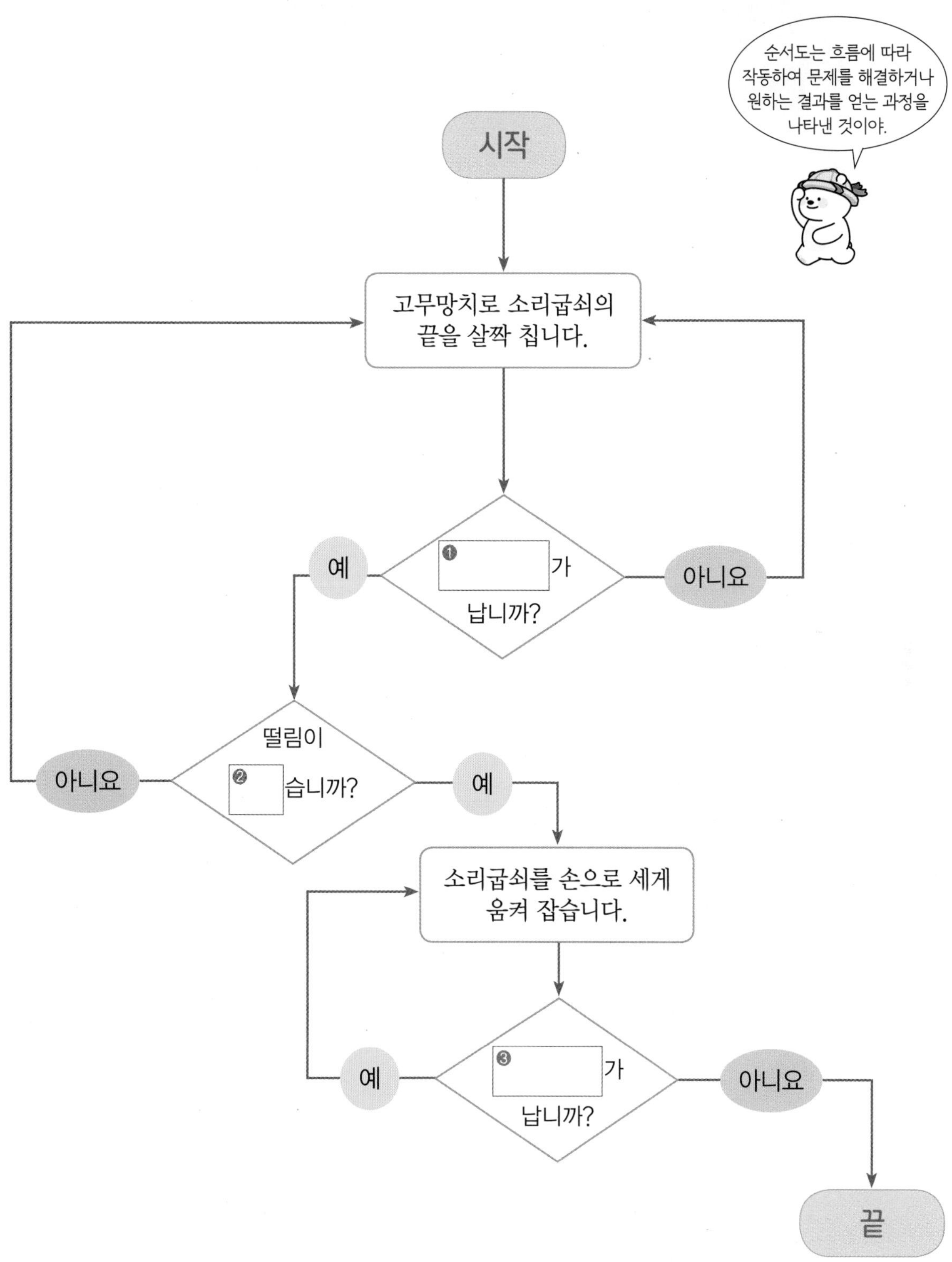
순서도는 흐름에 따라 작동하여 문제를 해결하거나 원하는 결과를 얻는 과정을 나타낸 것이야.
시작
고무망치로 소리굽쇠의 끝을 살짝 칩니다.
❶ □가 납니까?
예
아니요
떨림이 ❷ □습니까?
아니요
예
소리굽쇠를 손으로 세게 움켜 잡습니다.
❸ □가 납니까?
예
아니요
끝

4주

여러 가지 실험 기구

▲ 확대경

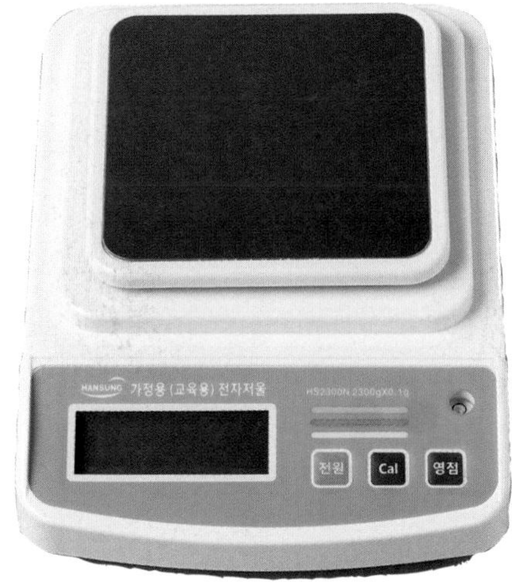

▲ 전자저울

▲ 공기 주입 마개

▲ 거름종이

▲ 돋보기

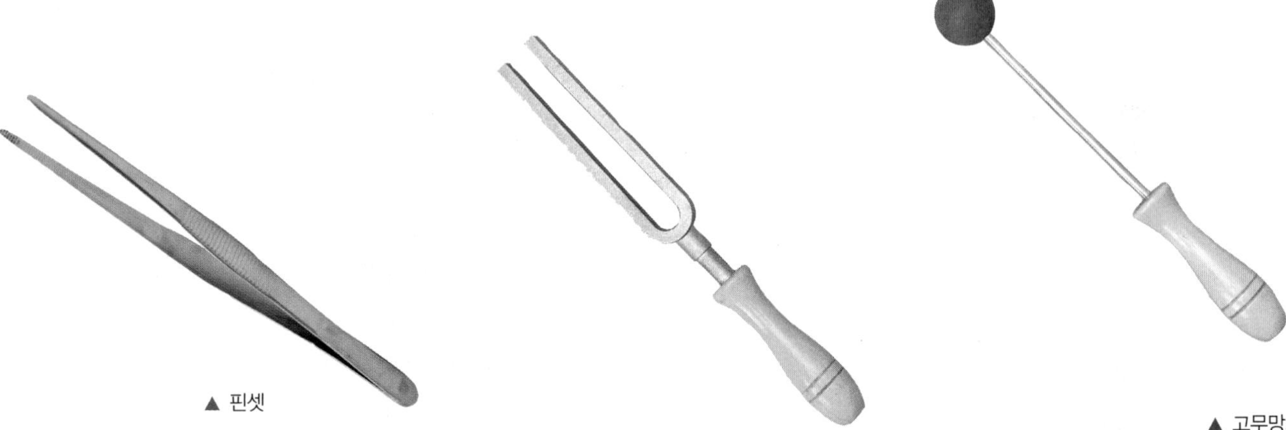

▲ 핀셋

▲ 소리굽쇠

▲ 고무망치

쉽다!

10분이면 하루치 공부를 마칠 수 있는 커리큘럼으로,
아이들이 초등 학습에 쉽고 재미있게 접근할 수 있도록 구성하였습니다.

재미있다!

교과서는 물론 생활 속에서 쉽게 접할 수 있는 다양한 소재와
재미있는 게임 형식의 문제로 흥미로운 학습이 가능합니다.

똑똑하다!

초등학생에게 꼭 필요한 학습 지식 습득은 물론
창의력 확장까지 가능한 교재로 올바른 공부습관을 가지는 데 도움을 줍니다.

정답과 풀이

똑 똑 한

하루 과학

3-2

천재교육

book.chunjae.co.kr

정답과 풀이

1주 동물의 생활

1일 동물의 분류

15쪽 개념 체크

1 나무 2 분류 3 곤충

16~17쪽 개념 확인하기

1 ① 2 ④ 3 (1) ㉡ (2) ㉠
4 ㉠ 5 예 잠자리, 사슴벌레, 사마귀 등

똑똑한 하루 퀴즈

6

분	석	진	☆
종	류	화	나
벌	☆	단	무
레	몬	다	리

❶ 화단 ❷ 분류 ❸ 다리

풀이

1 ②는 주로 화단에서 볼 수 있고, ③과 ④는 집안이나 마당에서 볼 수 있습니다.

2 동물의 생김새가 예쁜지 예쁘지 않은지는 분류하는 사람에 따라 느끼는 정도가 다르므로 분류 기준이 될 수 없습니다.

3 개구리는 날개가 없고, 나비는 날개가 두 쌍 있습니다.

4 뱀, 지렁이, 달팽이는 다리가 없고, 까치, 나비, 고양이는 다리가 있습니다.

5 곤충은 몸이 머리, 가슴, 배 세 부분으로 되어 있고 다리가 세 쌍인 동물입니다.

6 ❶ 나무에서는 참새, 까치 등을 볼 수 있고, 화단에서는 개미, 공벌레, 꿀벌, 잠자리 등을 볼 수 있습니다.
❷ 탐구 대상의 공통점과 차이점을 바탕으로 무리 짓는 것을 분류라고 합니다.
❸ 달팽이는 다리가 없고, 잠자리는 다리가 세 쌍 있습니다.

2일 땅에서 사는 동물

21쪽 개념 체크

1 다리 2 비 3 귀

22~23쪽 개념 확인하기

1 ③ 2 확대경 3 (1) ㉠ (2) ㉡
4 ㉡ 5 ②

집중 연습 문제

6 지방 7 ㉡ 예 넓어야

풀이

1 다람쥐, 소, 공벌레는 땅 위에서 사는 동물이고, 두더지는 땅속에서 사는 동물입니다.

2 확대경을 사용하여 관찰하면 맨눈으로 잘 보이지 않는 부분도 자세하게 관찰할 수 있습니다.

3 다람쥐, 소, 너구리 등과 같이 다리가 있는 동물은 걷거나 뛰어다니고, 뱀, 지렁이와 같이 다리가 없는 동물은 기어 다닙니다.

4 사막은 모래바람이 많이 불고, 낮에는 덥고 밤에는 매우 춥습니다.

5 사막여우는 몸에 비해 큰 귀를 가지고 있어서 체온 조절을 하며, 작은 소리도 잘 들을 수 있습니다.

6 낙타는 등의 혹에 지방이 있어서 오랫동안 먹이를 먹지 못해도 에너지로 쓰며 버틸 수 있습니다.

7 낙타는 발바닥이 넓어 모래에 발이 잘 빠지지 않고, 콧구멍을 여닫을 수 있어 모래바람이 불어도 콧속으로 모래가 잘 들어가지 않습니다.

3일 물에서 사는 동물

27쪽 개념 체크

1 물갈퀴 2 아가미 3 바닷속

28~29쪽 개념 확인하기

1 ②, ④ 2 ㉠ 3 ⑤
4 (1) 바 (2) 갯 (3) 바 5 ②

똑똑한 하루 퀴즈

6

★	고	배	★
아	성	신	발
가	★	굴	직
미	계	곡	선
용	수	★	녀

❶ 아가미 ❷ 배 발 ❸ 곡선

풀이

1 수달과 개구리는 땅과 물을 오가며 삽니다.

2 다슬기는 배 발을 이용하여 물속 바위에 붙어서 기어 다닙니다.

3 아가미는 물고기와 같이 물속에서 사는 동물이 숨을 쉴 때 이용하는 기관이고, 지느러미는 물고기가 물속에서 몸의 균형을 유지하고 헤엄을 치는 데 사용하는 기관입니다.

4 오징어와 고등어는 바닷속에서 살고, 게는 갯벌에서 삽니다.

5 조개와 전복은 딱딱한 껍데기가 있고 기어서 이동합니다.

6 ❶ 아가미는 붕어와 같은 물고기가 숨을 쉴 때 사용하는 기관입니다.
❷ 강이나 호수의 물속에서 사는 다슬기는 배 발을 이용하여 물속 바위에 붙어서 기어 다닙니다.
❸ 몸이 부드러운 곡선 형태(유선형)이면 물속에서 물의 저항을 적게 받기 때문에 빠르게 헤엄쳐 이동할 수 있습니다.

4일 날아다니는 동물 / 동물의 특징 활용

33쪽 개념 체크

1 날개 2 가벼운 3 물갈퀴

34~35쪽 개념 확인하기

1 (1) ㉡ (2) ㉠ 2 ㉡ 3 ② 4 ㉢

집중 연습 문제

5 ③ 6 날개 날개

풀이

1 까치와 직박구리는 새이고, 매미와 나비는 곤충입니다.

2 잠자리는 날개가 두 쌍이 있고 날개가 아주 얇아 빨리 날 수 있습니다.

3 물갈퀴는 발가락 사이에 막이 있어 헤엄을 잘 치는 오리 발의 특징을 활용하여 만든 것입니다.

4 문어 빨판이 잘 붙는 성질을 활용하여 거울이나 유리에 잘 붙는 칫솔걸이를 만들었습니다.

5 직박구리는 날개가 한 쌍이 있고, 잠자리는 날개가 두 쌍이 있습니다.

6 새, 곤충과 같이 날아다니는 동물은 날개가 있고 몸이 비교적 가벼워 잘 날 수 있습니다.

5일 1주 마무리하기

38~41쪽 마무리하기 문제

1 기준 2 ② 3 ㉠ 4 ⑤
5 ㉡ 6 예 등에 있는 혹에 지방이 있어서 먹이가 없어도 며칠 동안 생활할 수 있다. 7 ③, ⑤
8 아가미 9 ㉡ 10 ④ 11 ㉡
12 수리

똑똑한 하루 퀴즈

13

풀이

1 누가 분류해도 같은 결과가 나오는 것으로 분류 기준을 세워야 합니다.

2 꿀벌과 참새는 날개가 있고, 토끼와 붕어는 날개가 없습니다.

3 주로 땅속에서 생활하는 것은 지렁이이고, 딱딱한 껍데기로 몸을 보호하는 것은 달팽이입니다.

4 ⑤는 두더지에 대한 설명입니다.

5 사막여우는 사막에서 살기에 알맞게 몸에 비해 큰 귀를 가지고 있어서 체온 조절을 하고, 귓속의 털로 인해 모래가 잘 들어가지 않습니다.

6 낙타는 등의 혹에 지방을 저장해 두고 있어서 오랫동안 먹이를 먹지 못해도 에너지로 쓰며 버틸 수 있습니다.

인정 답안

'등에 있는 혹에 지방이 있다.'는 내용이 포함되게 써야 정답으로 인정합니다.

인정 답안의 예

등의 혹에 지방을 저장해 두고 있어서 오랫동안 먹이를 먹지 못해도 버틸 수 있다. 등

7 ①은 강가나 호숫가에서 살고, ②와 ④는 바닷속에서 삽니다.

8 아가미는 물고기와 같이 물에서 사는 동물이 숨을 쉬는 데 사용하는 기관입니다.

9 상어는 바닷속에서 사는 동물로 아가미로 숨을 쉬고 지느러미로 헤엄쳐서 이동합니다.

10 오징어는 바닷속에서 살며 머리에 다리 열 개가 있고 아가미로 숨을 쉬며 지느러미로 헤엄칩니다.

11 박새, 까치, 직박구리와 같은 새나 매미, 잠자리와 같은 곤충은 날개가 있고 몸이 비교적 가볍기 때문에 날아다닐 수 있습니다.

12 먹이를 잘 잡고 놓치지 않는 수리 발의 특징을 활용하여 집게 차를 만들었습니다.

13 ❶은 조개, ❷는 날개, ❸은 문어, ❹는 지렁이, ❺는 지방입니다.

1주 | TEST + 특강

42~43쪽 누구나 100점 TEST

1 ①　2 (1) ㉠ (2) ㉡　3 ㉣
4 (1) × (2) ○ (3) ×　5 (1) ㉡ (2) ㉠
6 ⑤　7 (1) ○ (2) × (3) × (4) ○
8 지후　9 ③　10 ㉡

풀이

1 누가 분류하여도 같은 분류 결과가 나오는 것을 분류 기준으로 정해야 합니다.

2 붕어, 고등어와 같은 물고기는 지느러미가 있고, 다람쥐와 개구리는 지느러미가 없습니다.

3 소, 다람쥐, 공벌레는 땅위에서 사는 동물이고, 뱀과 개미는 땅 위와 땅속을 오가며 사는 동물이며, 지렁이, 두더지, 땅강아지는 땅속에서 사는 동물입니다.

4 낙타 등의 혹에는 지방이 있으며, 낙타의 콧구멍은 막혀 있는 것이 아니라 여닫을 수 있습니다.

5
- 도마뱀은 뜨거운 땅에 서 있거나 이동할 때 한 번에 두 발씩 번갈아 들어 올리며 발을 식힙니다.
- 사막여우는 몸에 비해 큰 귀를 가지고 있어 체온 조절을 합니다.

6 붕어는 여러 개의 지느러미가 있어서 물속에서 헤엄을 칠 수 있습니다.

7 아가미는 물속에서 사는 동물이 숨을 쉴 때 이용하는 기관입니다.

8 매미의 수컷이 소리를 내고, 매미는 날개 두 쌍이 있어서 날아다닐 수 있습니다.

9 거미는 날개가 없어 날아다니지 못합니다.

10 문어 빨판이 잘 붙는 성질을 이용하여 거울이나 유리에 잘 붙는 칫솔걸이를 만들었습니다.

45쪽 생활 속 과학 융합

❶

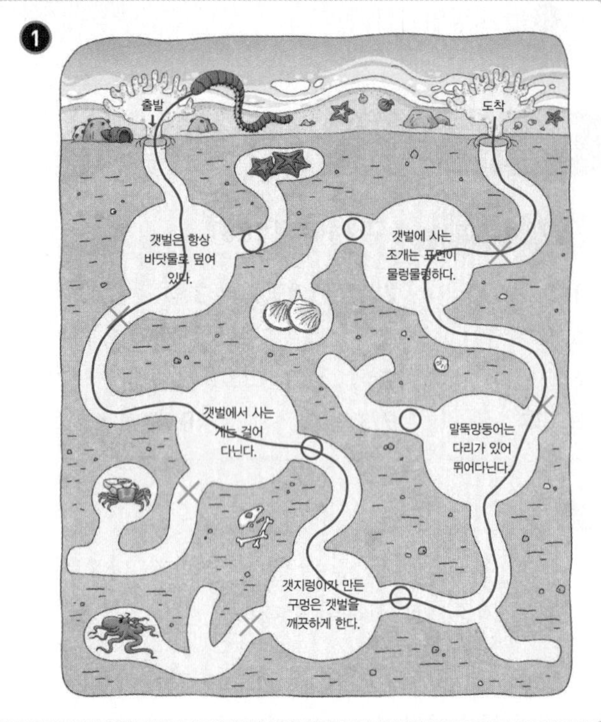

풀이

❶ 갯벌은 밀물일 때에만 바닷물로 덮여 있고 갯벌에 사는 게는 다리로 걸어 다닙니다. 갯지렁이는 갯벌에 구멍을 파서 갯벌 속까지 산소가 들어가게 해 갯벌이 썩지 않게 합니다. 말뚝망둥어는 물고기로 다리가 없고, 조개는 딱딱한 껍데기가 있습니다.

46~47쪽 사고 쑥쑥 창의

❷ 냥이에 ○표

❸ ㉡

풀이

❷ 버리는 두더지, 냥이는 잠자리, 토리는 붕어, 도기는 낙타 칸에 도착하게 됩니다. 이 중 날아다니는 동물은 날개가 있는 잠자리입니다.

❸ 바다거북은 헤엄을 잘 치고 바닥에서 기어 다닐 수 있으며 딱딱한 등 때문에 바닷속 바위에 부딪쳐도 잘 부서지지 않으므로 바다를 탐사하는 로봇을 만들 때 활용할 동물의 특징으로 알맞습니다.

48~49쪽 논리 탄탄 코딩

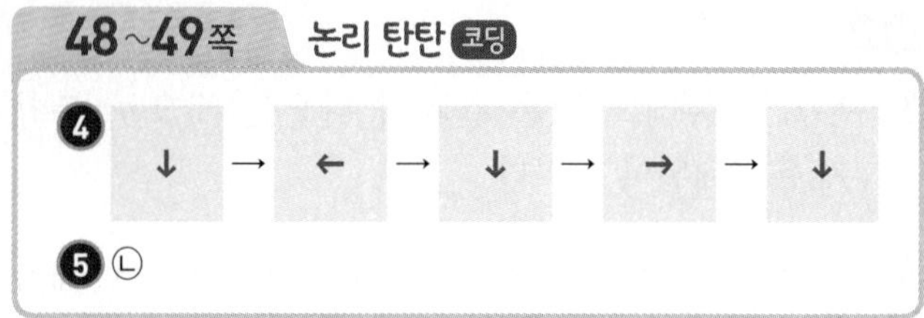

풀이

❹ 낙타는 다리가 네 개입니다. 코딩판에서 다리가 네 개인 동물은 개, 토끼, 다람쥐, 개구리가 있습니다.

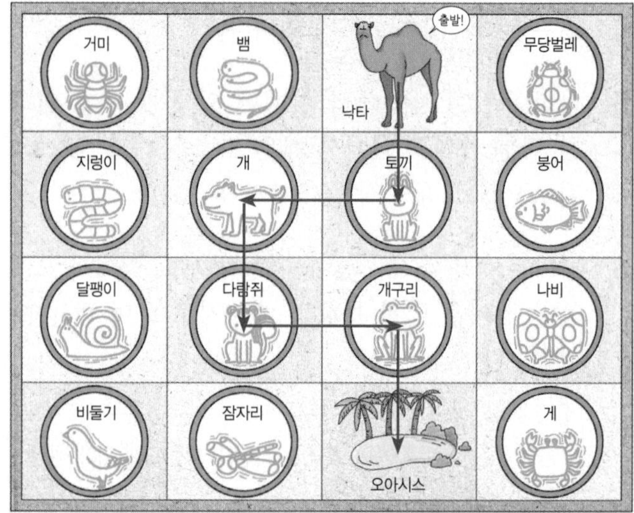

❺ 코딩판에 있는 동물 중 붕어, 상어, 조개는 아가미가 있고, 독수리, 매미, 참새는 날개가 있어 날아다니며, 사막여우와 낙타는 사막에서 삽니다.

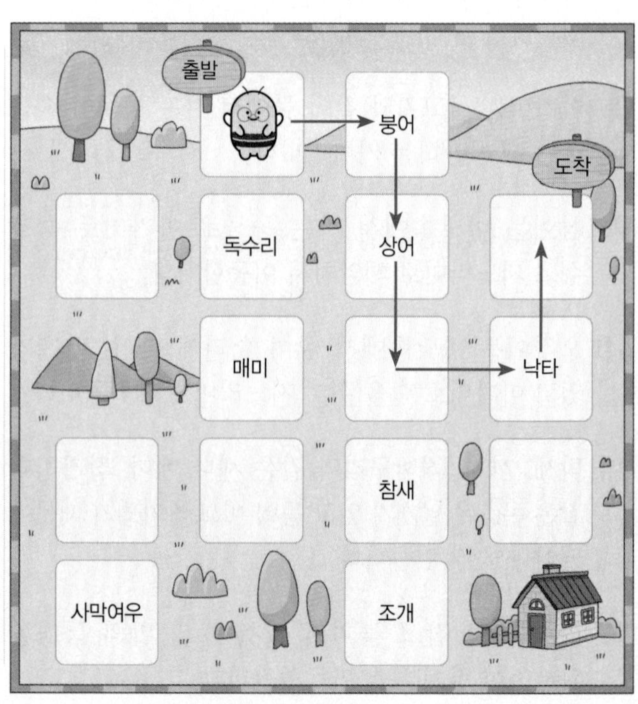

2주 지표의 변화

1일 운동장 흙과 화단 흙

57쪽 개념 체크

1 흙　　2 빠르게　　3 많습

58~59쪽 개념 확인하기

1 ③　　2 오랜　　3 ②
4 (1) ㉡ (2) ㉠　　5 ㉡

집중 연습 문제

6 (1) 운동장 흙 (2) 화단 흙

- 부식물이 많은 흙 ➡ 화단 흙
- 부식물이 적은 흙 ➡ 운동장 흙

7 예 뜨는

풀이

1 얼음 설탕을 플라스틱 통에 넣고 흔들면 얼음 설탕 알갱이의 크기가 작아집니다.

왜 틀렸을까?
① 가루가 생깁니다.
② 알갱이의 크기가 작아집니다.
④ 파란색 알갱이가 생기지 않습니다.
⑤ 알갱이의 뾰족한 부분의 모양이 달라집니다.

2 바위나 돌은 오랜 시간에 걸쳐 여러 가지 과정으로 작게 부서집니다.

3 식물이 자라기 어려운 환경이지만 식물의 뿌리는 바위틈 사이로 뿌리를 내립니다. 시간이 흘러 식물이 자라면 뿌리가 굵어져 바위틈을 벌리게 되고, 결국 바위가 부서지게 됩니다.

4 화단 흙은 어두운 갈색이고, 운동장 흙은 밝은 갈색입니다.

5 운동장 흙은 화단 흙보다 물이 더 빠르게 빠집니다.

6 화단 흙에는 운동장 흙보다 물에 뜨는 물질이 더 많이 섞여 있습니다.

7 식물이 잘 자라는 흙에는 식물의 뿌리나 죽은 곤충, 나뭇잎 조각 등의 물에 뜨는 물질이 많습니다.

2일 흐르는 물에 의한 지표 변화

63쪽 개념 체크

1 급　　2 아래　　3 침식

64~65쪽 개념 확인하기

1 쌓인　　2 ㉠, ㉢, ㉡　　3 ㉠　　4 예 물
5 ㉠　　6 ㉡

똑똑한 하루 퀴즈

7

★	지	각	★
경	★	표	침
사	암	★	식
퇴	적	운	반

❶ 지표 ❷ 경사 ❸ 침식 ❹ 퇴적

풀이

1 비가 내린 뒤 산의 경사진 곳에서는 물이 흘렀던 흔적, 흙이 깎이거나 깎인 흙이 흘러내려 쌓인 곳 등을 볼 수 있습니다.

2 흐르는 물에 의한 지표의 변화 모습을 관찰하는 실험의 순서 : 꽃삽으로 흙 언덕 만들기 → 색 모래를 흙 언덕 위에 뿌리기 → 흙 언덕 위쪽에서 물을 흘려보내기

3 흙 언덕의 위쪽은 경사가 급해 흐르는 물에 의해 흙이 깎입니다.

왜 틀렸을까?
㉡ 흐르는 물에 의해 깎인 흙이 흘러내려 쌓인 곳은 흙 언덕의 아래쪽입니다.

4 흙 언덕의 모습이 변한 까닭은 흐르는 물이 흙 언덕 위쪽의 흙을 깎고 운반해 아래쪽에 쌓았기 때문입니다.

5 유수대 실험의 ㉠ 위치에서는 침식 작용이 활발하게 일어납니다.

6 유수대 실험에서 퇴적 작용이 활발히 일어나는 곳은 ㉡ 위치입니다.

7 ❶ 땅의 표면을 지표라고 합니다.
❷ 흙 언덕의 위쪽은 경사가 급합니다.
❸ 침식 작용은 지표의 바위나 돌, 흙 등이 깎여 나가는 것입니다.
❹ 퇴적 작용은 운반된 돌이나 흙이 쌓이는 것을 말합니다.

3일 강 주변의 모습

69쪽 개념 체크

1 상류 2 모래 3 하류

70~71쪽 개념 확인하기

1 (1) ㉠ (2) ㉡ 2 ㉠ 3 ②, ③ 4 ㉠
5 ㉠ 상류 ㉡ 하류

집중 연습 문제

6 ㉠
- 계곡, 산 ➡ 강 상류
- 평야, 들 ➡ 강 하류

7 ⑤

풀이

1 강을 가로질러 잰 길이를 강폭이라고 하고, 강이 비스듬히 기울어진 정도를 강의 경사라고 합니다.

2 강 상류인 ㉠은 강의 경사가 급하고, 강 하류인 ㉡은 강의 경사가 완만합니다.

3 강폭이 좁고, 강의 경사가 급한 강 상류에서는 퇴적 작용보다 침식 작용이 활발히 일어납니다.

4 강 상류의 모습은 ㉠입니다.

5 강 상류에서는 퇴적 작용보다 침식 작용이 활발하게 일어나고, 강 하류에서는 침식 작용보다 퇴적 작용이 활발하게 일어납니다.

6 강 상류에서는 바위, 큰 돌, 계곡, 산 등을 볼 수 있고, 강 하류에서는 모래나 흙이 쌓여 있는 것, 넓은 평야, 들 등을 볼 수 있습니다.

7 강 상류보다 강 하류에 모래가 많은 까닭은 강 상류에서 지표를 깎고, 강 하류에서는 운반된 물질이 쌓이기 때문입니다.

4일 바다 주변의 모습

75쪽 개념 체크

1 오랜 2 침식 3 퇴적

76~77쪽 개념 확인하기

1 예 절벽 2 (1) ○ (2) ○ (3) × 3 ③, ⑤
4 ㉢ 5 ㉠ 침식 ㉡ 퇴적

집중 연습 문제

6 ④, ⑤ 7 오랜

풀이

1 해안가에 있는 바위가 가파른 절벽으로 깎여 있는 모습을 볼 수 있습니다.

2 바닷가에 있는 여러 가지 지형은 만들어지는 데 오랜 시간이 걸립니다.

3 바닷물의 퇴적 작용으로 고운 흙이나 가는 모래와 같이 작은 물질들이 쌓여서 만들어진 갯벌의 모습입니다.

4 수조 한쪽에 모래를 쌓고 물을 부은 뒤 책받침으로 파도를 만들면 쌓여 있던 모래가 깎여 물 안쪽으로 밀려들어가 쌓입니다.

5 바닷가에서 보통 바다 쪽으로 돌출된 부분은 침식 작용이 활발하고, 안쪽으로 들어간 부분은 퇴적 작용이 활발합니다.

6 바닷물이 바위와 만나는 부분을 계속 깎고 무너뜨려서 바닷가에 가파른 절벽이 만들어졌습니다.

7 바닷가의 구멍이 뚫린 바위는 오랜 시간이 지나면 절벽이 깎여 윗부분이 무너지고 기둥만 남게 됩니다.

5일 2주 마무리하기

80~83쪽 마무리하기 문제

1 ㉡ **2** 흙 **3** ①, ④
4 (1) ㉠ (2) ㉡ **5** 예 식물의 뿌리나 죽은 곤충, 나뭇잎 조각 등의 물에 뜨는 물질(부식물)이 많기 때문이다.
6 (1) ㉠ (2) ㉡ **7** ⑤ **8** ㉠ 침식 작용 ㉡ 퇴적 작용
9 < **10** ⑤ **11** ㉡
12 (1) ○ (2) × (3) ○ **13** ㉢

똑똑한 하루 퀴즈

14

풀이

1 얼음 설탕을 플라스틱 통에 넣고 흔들면 알갱이의 크기가 작아집니다.

2 바위나 돌이 작게 부서진 알갱이와 생물이 썩어 생긴 물질들이 섞여서 흙이 됩니다.

3 화단 흙은 어두운 갈색이고, 만지면 약간 부드러운 느낌이 듭니다.

4 운동장 흙은 물에 뜨는 물질이 거의 없고, 화단 흙은 물에 뜨는 물질이 많습니다.

5 화단 흙에는 식물의 뿌리나 죽은 곤충, 나뭇잎 조각 등의 물에 뜨는 물질(부식물)이 많아서 식물이 잘 자랍니다.

인정 답안

식물의 뿌리, 죽은 곤충, 나뭇잎 조각 등에서 2가지 이상을 쓰거나 부식물이라는 표현을 써도 정답으로 인정합니다.

인정 답안의 예

- 부식물이 많기 때문이다.
- 식물의 뿌리, 나뭇잎 조각 등이 많기 때문이다. 등

6 흐르는 물이 경사가 급한 위쪽의 흙을 깎아 경사가 완만한 아래쪽으로 옮겼습니다.

7 흐르는 물이 흙 언덕 위쪽의 흙을 깎고 운반해 아래쪽에 쌓았습니다.

8 지표의 바위나 돌, 흙 등이 깎여 나가는 것은 침식 작용, 운반된 돌이나 흙이 쌓이는 것은 퇴적 작용입니다.

9 강 상류는 강폭이 좁고, 강 하류는 강폭이 넓습니다.

10 강 상류는 강의 경사가 급하며, 강 상류에서는 바위, 큰 돌, 계곡, 산 등을 볼 수 있습니다.

11 ㉡에서는 퇴적 작용이 활발하게 일어납니다.

12 계곡, 산, 바위, 큰 돌 등은 강의 상류에서 볼 수 있습니다.

13 바닷물이 바위와 만나는 부분을 계속 깎고 무너뜨리면 가파른 절벽이 만들어집니다.

14 ❶은 상류, ❷는 하류, ❸은 침식 작용, ❹는 부식물, ❺는 퇴적 작용입니다.

2주 | TEST+특강

84~85쪽 누구나 100점 TEST

1 > **2** 물 **3** 화단 흙
4 (1) ㉠ (2) ㉡ **5** ③ **6** (1) ㉡ (2) ㉢ (3) ㉠
7 ⑤ **8** 침식, 퇴적 **9** 침식 작용 **10** ③

풀이

1 플라스틱 통에 얼음 설탕을 넣고 흔들면 얼음 설탕 알갱이의 크기가 작아집니다.

2 바위틈에 있는 물이 얼었다 녹았다를 반복하면서 바위가 부서집니다.

3 화단 흙은 어두운 갈색이고, 만지면 약간 부드러운 느낌이 듭니다.

4 화단 흙에는 운동장 흙보다 물에 뜨는 물질이 더 많이 섞여 있습니다. 물에 뜨는 물질은 대부분 부식물입니다.

5 흙 언덕 위쪽에서 물을 흘려보내면 흐르는 물에 의해 흙 언덕의 위쪽에 있는 색 모래가 깎여 아래쪽으로 이동합니다.

6 지표의 바위나 돌, 흙 등이 깎여 나가는 것을 침식 작용이라고 하고, 흙, 모래, 자갈 등이 다른 곳으로 옮겨지는 것을 운반 작용이라고 하며, 운반된 돌이나 흙이 쌓이는 것을 퇴적 작용이라고 합니다.

7 강 상류는 퇴적 작용보다 침식 작용이 활발하게 일어납니다. 강 상류에서는 바위, 큰 돌, 계곡, 산 등을 볼 수 있습니다.

8 강물은 강 상류에 있는 바위, 큰 돌 등을 깎고 운반하는데, 이 과정에서 만들어진 모래 등이 강 하류에 쌓입니다.

9 바닷가에서 볼 수 있는 가파른 절벽과 구멍이 뚫린 바위는 바닷물의 침식 작용에 의해 만들어진 지형입니다.

10 바닷물이 고운 흙이나 가는 모래와 같이 작은 물질들을 쌓아서 만들어진 지형은 갯벌입니다.

87쪽 생활 속 과학 융합

❶

풀이

❶ 바위나 돌은 오랜 시간이 지나면 흙이 되고, 바위틈에서 물이 얼었다 녹았다를 반복하거나 바위틈에서 나무뿌리가 자라면 바위가 부서지기도 합니다.

88~89쪽 사고 쑥쑥 창의

❷ ❶ 큰 것도 있고 작은 것도 있다.
❷ 밝은 갈색이다.
❸ 비교적 크다.
❹ 어두운 갈색이다.

❸ (1) ㉢ (다) (2) ㉡ (나) (3) ㉠ (나)

풀이

❷ 화단 흙은 어두운 갈색이고, 알갱이가 큰 것도 있고 작은 것도 있습니다. 운동장 흙은 밝은 갈색이고 알갱이가 비교적 큽니다.

❸ 바닷가의 가파른 절벽과 바닷가의 구멍이 뚫린 바위는 바닷물의 침식 작용에 의한 것이고, 갯벌은 바닷물의 퇴적 작용에 의해 만들어진 지형입니다.

90~91쪽 논리 탄탄 코딩

❹ 침식 작용

❺
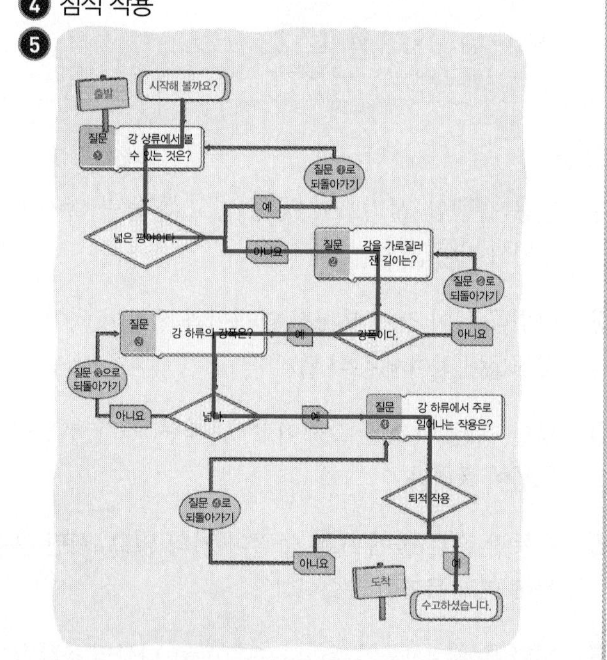

풀이

❹ 지표의 바위나 돌, 흙 등이 깎여 나가는 것을 침식 작용이라고 합니다.

❺ 강을 가로질러 잰 길이를 강폭이라고 합니다. 강 상류에서는 바위, 큰 돌 등을 볼 수 있고, 강 하류는 강폭이 넓고, 퇴적 작용이 주로 일어납니다.

3주 물질의 상태

1일 고체 알아보기

99쪽 개념 체크

1 공기　2 모양　3 고체

100~101쪽 개념 확인하기

1 (2) ○　2 물　3 ㉠ 물 ㉡ 공기　4 ④
5 변하지 않습니다　6 ③

똑똑한 하루 퀴즈

7

물	☆	공	우
☆	기	간	유
고	체	모	☆
계	☆	액	양

❶ 공기 ❷ 공간 ❸ 고체

풀이

1 공기는 눈에 보이지 않고, 손에 잡히지 않습니다.

왜 틀렸을까?
(1) 나무 막대는 딱딱합니다.
(3) 나무 막대는 손으로 잡을 수 있습니다.

2 물은 흐르고 투명하며, 흔들면 출렁거립니다.

3 물은 손으로 잡을 수 없어 전달하기 어렵고, 공기는 눈에 보이지 않고 손에 잡히지 않아 전달한 것인지 알 수 없습니다.

4 나무 막대와 플라스틱 막대는 고체이므로 흐르는 성질이 없습니다.

5 고체는 담는 그릇이 바뀌어도 모양과 크기가 변하지 않습니다.

6 오렌지 주스는 고체가 아닙니다.

7 ❶ 공기는 눈에 보이지 않고 손에 잡히지 않아 전달한 것인지 알 수 없습니다.
❷ 고체는 비교적 단단하고 공간을 차지합니다.
❸ 담는 그릇이 바뀌어도 모양과 부피가 일정한 물질의 상태는 고체입니다.

2일 액체 알아보기

105쪽 개념 체크

1 모양　2 부피　3 액체

106~107쪽 개념 확인하기

1 (1) ㉠ (2) ㉡ 2 ③　3 ㉡　4 (2) ×
5 ④

똑똑한 하루 퀴즈

6

주	☆	부	물
☆	고	건	피
액	체	모	☆
기	☆	얼	양

❶ 모양 ❷ 부피 ❸ 액체

풀이

1 물의 모양은 담는 그릇에 따라 달라지지만 물의 부피는 변하지 않습니다.

2 우유는 담는 그릇에 따라 모양은 변하지만 부피는 변하지 않습니다. 200 mL가 담긴 컵의 우유를 컵보다 큰 다른 모양의 찻잔에 옮겨 담으면 우유의 부피는 200 mL가 됩니다.

3 처음에 사용한 그릇으로 주스를 다시 옮기면 주스의 높이가 처음과 같습니다.

4 물과 주스는 흐르는 성질이 있어 손으로 잡을 수 없습니다.

5 액체는 담는 그릇에 따라 모양이 변합니다.

왜 틀렸을까?
① 비교적 단단한 것은 고체입니다.
② 액체는 흐르는 성질이 있어 손으로 잡을 수 없습니다.
③ 모양과 크기가 변하지 않는 것은 고체입니다.
⑤ 액체는 담는 그릇에 따라 부피가 변하지 않습니다.

6 ❶ 물은 담는 그릇에 따라 모양이 변합니다.
❷ 주스는 담는 그릇이 달라져도 부피가 변하지 않습니다.
❸ 식초와 간장은 액체 상태의 물질입니다.

정답과 풀이

3일 공기 알아보기

111쪽 개념 체크

1 공기 **2** 공기 **3** 공간

112~113쪽 개념 확인하기

1 (3) ○ **2** 공기 **3** ② **4** 구멍이 뚫리지 않은

집중 연습 문제

5 (1) ㉠ (2) ㉡ (3) 공기

- ㉠ ➡ 변화 없음.
- ㉡ ➡ 내려감.

풀이

1 부풀린 풍선을 얼굴에 대고 입구를 열면 풍선 속에 있던 공기가 빠져나오므로 얼굴 주변으로 지나가는 공기를 느낄 수 있습니다.

2 물속에서 플라스틱병을 누르면 플라스틱병 입구에서 둥근 공기 방울이 생깁니다. 물속에서 주사기 피스톤을 밀면 주사기 끝에서 둥근 공기 방울이 생깁니다. 이 두 가지 활동은 모두 우리 주변에 공기가 있음을 알아보는 활동입니다.

3 지우개는 고무나 플라스틱으로 되어 있으며, 공기가 들어 있지 않습니다.

4 바닥에 구멍이 뚫리지 않은 컵으로 밀어 넣었을 때 페트병 뚜껑이 내려가고, 수조의 물의 높이가 조금 높아집니다.

왜 틀렸을까?

바닥에 구멍이 뚫린 컵으로 밀어 넣으면 페트병 뚜껑은 그대로 있고, 수조의 물의 높이도 변하지 않습니다.

5 (1) ㉠은 컵 안의 공기가 빠져나가 물이 컵 안으로 들어오기 때문에 물의 높이에 변화가 없습니다.
(2) ㉡은 컵 안의 공기 부피만큼 물이 밀려나오기 때문에 물의 높이가 조금 높아집니다.
(3) 플라스틱 컵 안에 들어 있는 공기를 통해 공기가 공간(부피)을 차지하는지 알아보는 실험입니다.

4일 공기의 상태

117쪽 개념 체크

1 이동 **2** 기체 **3** 있

118~119쪽 개념 확인하기

1 → **2** ② **3** 이동하는 **4** (2) ○
5 < **6** 예 무게

똑똑한 하루 퀴즈

7

주	☆	무	거
이	액	기	☆
☆	동	고	체
곱	☆	가	벼

❶ 이동 ❷ 무거 ❸ 기체

풀이

1 주사기의 피스톤을 밀면 공기가 주사기에서 코끼리 나팔로 이동합니다.

2 주사기의 피스톤을 밀면 코끼리 나팔이 펼쳐집니다.

3 비눗방울 불기, 공기 주입기로 풍선에 공기 넣기, 펌프를 이용해 자전거 타이어에 공기 채우기는 공기가 이동하는 성질을 이용한 예입니다.

4 기체는 담는 그릇에 따라 모양과 부피가 변하고, 담긴 그릇을 항상 가득 채웁니다.

왜 틀렸을까?

(1) 고체와 액체는 부피가 항상 일정합니다.
(3) 액체와 기체는 담는 그릇에 따라 모양이 변합니다.

5 공기 주입 마개를 누르면 페트병으로 공기가 더 들어가므로 무게가 무거워집니다.

6 공기 주입 마개를 눌러 공기를 더 넣은 후 무게가 늘어났으므로 공기는 무게가 있음을 알 수 있습니다.

7 ❶ 부채질하기는 공기가 이동하는 성질을 이용한 예입니다.

❷ 페트병에 공기 주입 마개를 끼우고 공기를 채우면 무게는 처음보다 무거워집니다.

❸ 공기는 기체 상태의 물질입니다.

5일 3주 마무리하기

122~125쪽 마무리하기 문제

1 ④, ⑤　2 (1) ○　3 ②　4 ❶ 모양 ❷ 부피　5 ②　6 민주　7 ㉢　8 ㉡　9 예 공간(부피)

10

11 예 공기는 무게가 있다.

똑똑한 하루 퀴즈

12

	❷고		❸❹공	기
❶액	체		간	
		❺부		
		❻피	스	톤

풀이

1 담는 그릇이 달라져도 나무 막대의 모양과 크기는 변하지 않습니다.

2 고체는 모양과 부피가 일정합니다.

3 우유는 액체입니다.

4 물의 모양은 담는 그릇에 따라 변하지만, 물의 부피는 변하지 않습니다.

5 가방, 책상, 의자는 고체이고, 식초는 액체이며, 공기는 기체입니다.

6 담긴 그릇을 항상 가득 채우는 것은 기체입니다.

7 플라스틱병 입구에서 둥근 공기 방울이 생겨 위로 올라와 사라지는 것을 통해 눈에 보이지 않지만 공기가 있다는 것을 알 수 있습니다.

8 ㉡은 컵 안의 공기의 부피만큼 물이 밀려 나오므로 수조 안의 물의 높이가 높아집니다.

9 컵 안의 공기가 공간을 차지하기 때문에 컵 안의 공기의 부피만큼 물이 밀려나와 수조 안의 물의 높이가 조금 높아지는 것입니다.

10 코끼리 나팔을 돌돌 말리게 하려면 피스톤을 당겨야 합니다.

11 공기는 무게가 있어서 공기를 넣은 후에 무게가 늘어납니다.

인정 답안

실험을 통해 알 수 있는 공기의 성질을 옳게 썼으면 정답으로 인정합니다.

인정 답안의 예

- 공기는 무게가 있다.
- 기체는 무게가 있다. 등

12 ❶은 액체, ❷는 고체, ❸은 공기, ❹는 공간, ❺는 부피, ❻은 피스톤입니다.

3주 | TEST+특강

126~127쪽 누구나 100점 TEST

1 ④　2 예 변하지 않는다　3 ③　4 ②　5 ㉢　6 공기　7 ㉠ 예 내려가고 ㉡ 예 높아진다　8 ①　9 ㉢　10 ①

풀이

1 책, 책상, 유리구슬은 모두 고체입니다. 담는 그릇에 따라 모양이 변하는 것은 액체와 기체입니다.

2 고체는 담는 그릇에 따라 모양과 크기가 변하지 않습니다.

3 사이다는 액체입니다.

4 주스는 담은 그릇에 따라 모양이 변하지만 주스의 양, 부피, 상태, 색깔 등은 변하지 않습니다.

5 액체에 대한 설명입니다. 가방과 플라스틱 막대는 고체이고, 식초는 액체입니다.

6 우리 주변에 공기가 있기 때문에 나타나는 현상들입니다.

7 컵 안의 공기가 공간을 차지하기 때문에 컵 안의 공기 부피만큼 물이 밀려나와 수조의 물의 높이가 조금 높아집니다.

8 주사기의 피스톤을 밀면 코끼리 나팔이 펼쳐집니다.

9 공기 주입 마개를 눌러 공기를 더 넣었으므로 무게가 처음보다 늘어납니다.

10 선풍기는 공기를 이동시켜 바람을 일으키는 것이고, 나머지는 공기를 넣어서 사용하는 것입니다.

129쪽 생활 속 과학 융합

❶ 오렌지 주스

비교적 단단하다.
눈에 보이지 않는다.
흐르는 성질이 있다.
손으로 잡을 수 있다.
손으로 잡을 수 없다.
손으로 잡아도 아무런 느낌이 없다.
담는 그릇에 따라 모양이 변한다.
담는 그릇을 가득 채운다.
모양과 크기가 변하지 않는다.
오렌지 주스
풍선 속 공기
연필

풀이

❶ 액체는 흐르는 성질이 있어 손으로 잡을 수 없으며, 담는 그릇에 따라 모양이 변합니다. 오렌지 주스는 액체, 풍선 속 공기는 기체, 연필은 고체입니다.

130~131쪽 사고 쑥쑥 창의

❷ (다)
❸ (가)

풀이

❷ 고체는 담는 그릇에 따라 모양과 부피가 변하지 않습니다.
❸ 신문지의 가운데에 테이프를 이용하여 실을 붙인 후 빠르게 실을 당기면 실이 끊어지는 까닭은 신문지 위에서 공기가 누르고 있기 때문입니다.

132~133쪽 논리 탄탄 코딩

❹ 책꽂이 안

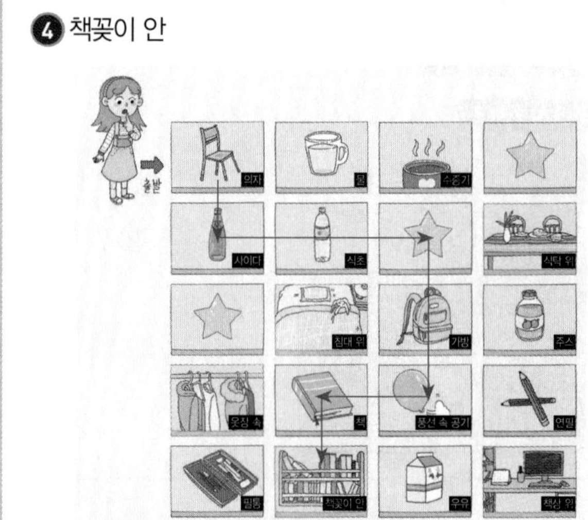

❺ 기체

풀이

❹ 의자, 가방, 책, 연필, 필통은 고체이고, 물, 사이다, 식초, 주스, 우유는 액체이며, 수증기, 풍선 속 공기는 기체입니다.
❺ 3+2+1+4+3+5+3+7+2=30, 3과 0에 해당하는 글자를 연결하면 기체가 됩니다.

4주 소리의 성질

1일 소리 나는 물체

141쪽 개념 체크

1 물체 2 소리 3 물체

142~143쪽 개념 확인하기

1 ⑤ 2 ㉠ 3 (1) ㉡ (2) ㉠
4 (1) 납니다 (2) 물체 5 ②, ③ 6 ㉠

똑똑한 하루 퀴즈

7 

❶ 소리굽쇠
❷ 떨림
❸ 고무망치
❹ 스피커

풀이

1 소리를 내면서 목에 손을 대 보면 손에서 작은 떨림이 느껴집니다.

2 소리가 나는 스피커에 손을 대 보면 떨림이 느껴집니다.

3 소리가 나는 소리굽쇠를 물에 대 보면 소리굽쇠의 떨림 때문에 물이 튀어 오릅니다.

4 소리가 나는 물체는 떨린다는 공통점이 있습니다.

5 종을 칠 때 종이 떨리기 때문에 소리가 나고, 벌이 날 때 날개를 빠르게 움직여 공기의 떨림이 생기기 때문에 소리가 납니다.

6 소리가 나는 물체를 떨리지 않게 하면 더 이상 소리가 나지 않습니다.

7 ❶ 길쭉한 금속 막대를 'U'자 모양으로 구부려 가운데에 자루를 단 것은 소리굽쇠입니다.
❷ 소리가 나는 물체는 떨림이 있습니다.
❸ 소리굽쇠는 고무망치로 쳐서 소리를 냅니다.
❹ 소리를 크게 하여 멀리까지 들리게 하는 기구는 스피커입니다.

2일 소리의 세기와 높낮이

147쪽 개념 체크

1 크 2 낮은 3 길이

148~149쪽 개념 확인하기

1 ㉠ 큰 ㉡ 작 2 (1) ㉡ (2) ㉠
3 (1) 크고 작은 (2) 큰 (3) 작은
4 ①, ③ 5 ㉠, ㉡

집중 연습 문제

6 (1) 큰 (2) 작은 (3) 낮은
(4) 높은 (5) 낮은 (6) 높은

풀이

1 작은북을 약하게 치면 작은 소리가 나고, 세게 치면 큰 소리가 납니다

2 북을 약하게 치면 북이 작게 떨리면서 좁쌀이 낮게 튀어 오르고, 북을 세게 치면 북이 크게 떨리면서 좁쌀이 높게 튀어 오릅니다.

3 물체가 떨리는 크기에 따라 소리의 크기가 달라지며, 소리의 크고 작은 정도를 소리의 세기라고 합니다.

4 팬 플루트 관의 길이가 짧거나 실로폰 음판의 길이가 짧을수록 높은 소리가 납니다.

5 팬 플루트의 관이나 실로폰 음판의 길이에 따라 소리의 높낮이가 달라집니다. 팬 플루트를 부는 세기나 실로폰 음판을 치는 세기는 소리의 세기와 관계가 있습니다.

6 물체를 치는 세기에 따라 소리의 크고 작은 정도가 달라집니다. 관이나 음판의 길이에 따라 소리의 높고 낮은 정도가 달라집니다.

3일 소리의 전달

153쪽 개념 체크

1 공기 2 물 3 실

정답과 풀이

154~155쪽 개념 확인하기

1 (1) ○ 2 ② 3 (1) 공기 (2) 물
4 물질 5 ❶ 종이컵 ❷ 실 ❸ 있음
6 ③

똑똑한 하루 퀴즈

7

실	★	물	★
놀	전	달	질
이	★	화	공
★	클	립	기
나	무	★	차

❶ 물질 ❷ 공기 ❸ 전달 ❹ 실 전화기

풀이

1 책상에 귀를 대고 책상을 두드리는 소리를 들으면 소리가 나무를 통해 전달되어 잘 들립니다.

2 소리는 나무와 같은 고체 물질에서도 전달된다는 것을 알 수 있습니다.

3 소리는 공기와 같은 기체, 물과 같은 액체를 통해서도 전달됩니다.

4 소리가 나는 물체의 떨림은 여러 가지 물질을 통해 전달됩니다.

5 실 전화기는 실의 떨림으로 소리가 전달됩니다.

6 실 전화기에 입을 대고 말을 하면서 실에 손을 대 보면 약한 떨림이 느껴집니다.

7 ❶ 소리는 여러 가지 물질을 통해 전달됩니다.
❷ 멀리서 친구가 부르는 소리는 공기를 통해 전달되어 들을 수 있습니다.
❸ 소리는 기체, 고체, 액체를 통해서도 전달됩니다.
❹ 양 끝에 종이컵을 놓고, 그 사이를 팽팽한 실 등으로 연결하여 소리를 전달하는 것은 실 전화기입니다.

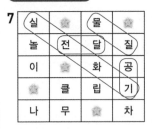

4일 소리의 반사

159쪽 개념 체크

1 반사 2 크게 3 반사

160~161쪽 개념 확인하기

1 ㉡, ㉢, ㉠ 2 ② 3 ㉮ 되돌아오는
4 (1) ㉡ (2) ㉠
5

6 (1) ㉡ (2) ㉠

똑똑한 하루 퀴즈

7

전	높	낮	이
달	★	반	사
★	방	층	★
소	음	사	세
★	벽	★	기

❶ 소음 ❷ 전달 ❸ 방음벽 ❹ 반사

풀이

1 아무것도 들지 않고 소리를 들을 때보다 물체를 이용해 소리의 방향을 바꿔 들을 때 크게 들리고, 부드러운 물체보다 딱딱한 물체에서 잘 반사되어 소리가 더 크게 들립니다.

2 소리가 물체에 부딪치면 반사되고 물체의 종류에 따라 소리가 반사되는 정도가 달라 소리가 들리는 크기도 달라집니다.

3 소리의 반사란 소리가 물체에 부딪쳐 되돌아오는 성질을 말합니다.

4 실 전화기로 전화 놀이를 하는 것은 소리가 실을 통해 전달되는 현상입니다.

5 우리 생활에는 다양한 소음이 있습니다. 도로나 공사장, 가게 등 다양한 곳에서 자동차 소리, 굴착기 소리, 피아노 소리, 확성기 소리, 비행기 소리, 땅 뚫는 소리 등의 소음이 발생합니다.

6 음악실 방음벽처럼 소리가 잘 전달되지 않도록 하거나 도로 방음벽처럼 소리를 반사시켜 소음을 줄일 수 있습니다.

7 ❶ 사람의 기분을 좋지 않게 만들거나 건강을 해칠 수 있는 시끄러운 소리를 소음이라고 합니다.
❷ 음악실의 방음벽은 소리가 잘 전달되지 않는 물질을 붙인 것입니다.
❸ 도로 방음벽은 도로에서 나는 소리를 반사시켜 소음을 줄입니다.
❹ 소리가 나아가다 물체에 부딪쳐 되돌아오는 성질을 소리의 반사라고 합니다.

5일 4주 마무리하기

164~167쪽 마무리하기 문제

1 (1) ㉡ (2) ㉠ (3) ㉡ (4) ㉠ 2 ①, ③ 3 예 떨림
4 ①, ② 5 ❶ 큰 ❷ 작은 ❸ 크게 ❹ 작게 ❺ 높게
❻ 낮게 6 ㉠
7 (1) 높낮이 (2) 예 점점 높은 소리가 난다. 등
8 (1) ○ (2) × (3) ○ (4) × 9 ② 10 ㉠
11 ㉢ 12 ㉢

똑똑한 하루 퀴즈

13

풀이

1 목과 스피커에서 소리가 날 때 손을 대면 떨림이 느껴집니다.

2 소리가 나는 소리굽쇠의 떨림 때문에 물이 튀어 오릅니다.

3 소리 나는 소리굽쇠, 소리 나는 목, 소리 나는 스피커 등 소리를 내고 있는 물체들은 떨린다는 공통점이 있습니다.

4 소리의 세기는 소리의 크고 작은 정도입니다. 손뼉을 세게 치면 큰 소리가 나고 약하게 치면 작은 소리가 납니다.

5 물체의 떨림이 클 때 큰 소리가 나고, 물체의 떨림이 작을 때 작은 소리가 납니다.

6 팬 플루트 관의 길이가 길면 낮은 소리가 나고, 관의 길이가 짧으면 높은 소리가 납니다.

7 실로폰의 긴 음판에서 짧은 음판 순서대로 치면 점점 높은 소리가 납니다. 길이가 가장 긴 ㉠ 음판을 칠 때 가장 낮은 소리가 나고 길이가 가장 짧은 ㉢ 음판을 칠 때 가장 높은 소리가 납니다.

인정 답안

(2) 처음에는 낮은 소리가 나다가 소리가 점점 높아진다라는 내용을 쓰면 정답으로 인정합니다.

인정 답안의 예
점점 높은 음이 난다. 소리가 점점 높아진다. 낮은 소리, 중간 소리, 높은 소리가 차례대로 난다. 등

8 소리가 나는 물체의 떨림은 물질의 다양한 상태인 고체, 액체, 기체를 통해 전달됩니다.

9 실 전화기는 실의 떨림으로 소리가 전달됩니다.

10 실 전화기의 실을 느슨하게 할 때보다 팽팽하게 할 때 소리를 더 잘 전달할 수 있습니다.

11 소리가 나아가다가 물체에 부딪치면 반사됩니다. 소리는 딱딱한 물체에서는 잘 반사되고 부드러운 물체에서는 잘 반사되지 않습니다.

12 음악실 방음벽은 소리가 잘 전달되지 않는 물질을 벽에 붙여 소음을 줄이는 경우입니다. 목욕탕은 소리가 반사되어 울리는 것이고 도로 방음벽은 소리의 반사를 이용하여 소음을 줄이는 경우입니다

13 ❶은 반사, ❷는 실 전화기, ❸은 세기, ❹는 전달, ❺는 소음입니다.

4주 | TEST+특강

168~169쪽 누구나 100점 TEST

1 ④ 2 ④ 3 세기 4 ①
5 ③ 6 ③ 7 ②, ③ 8 ②
9 반사 10 ㉣

풀이

1 소리 나는 물체에 손을 대면 떨림이 느껴집니다. 이처럼 물체가 떨리면 소리가 납니다.

2 소리 나는 물체를 손으로 잡는다와 같이 물체의 떨림을 멈추게 하는 방법을 찾습니다.

3 소리의 크고 작은 정도를 소리의 세기라고 합니다.

4 물체를 약하게 치면 물체가 작게 떨리며 작은 소리가 나고, 물체를 세게 치면 물체가 크게 떨리며 큰 소리가 납니다.

5 작은북은 치는 세기에 따라 소리의 세기가 다릅니다.

6 소리는 여러 가지 물질의 상태인 기체, 고체, 액체를 통해 전달됩니다.

7 실 전화기는 실의 떨림으로 소리가 전달되며, 실 전화기의 실의 길이가 짧을수록 소리가 더 잘 들립니다.

8 소리를 전달하는 물질인 공기가 줄어들어 소리가 잘 전달되지 않아 작게 들립니다.

9 소리가 나아가다가 물체에 부딪쳐 되돌아오는 성질을 소리의 반사라고 합니다.

10 도로 방음벽을 설치하면 도로에서 생기는 소리를 반사시켜 소음을 줄일 수 있습니다.

171쪽 생활 속 과학 융합

❶

★	높		작		
	음	낮	은		
			이		
	♥			음	
	세		센	색	깔
크	기		★		

풀이

❶ ❶은 세기, ❷는 높낮이, ❸은 음색, ❹는 낮은, ❺는 작은입니다.

172~173쪽 사고 쑥쑥 창의

❷ (1) 높은 (2) 큰 (3) 낮은 (4) 작은

❸ 인영, 진희

풀이

❷ 작은북을 약하게 칠 때에는 작은 소리, 세게 칠 때는 큰 소리가 납니다. 실로폰의 짧은 음판을 칠 때는 높은 소리, 긴 음판을 칠 때는 낮은 소리가 납니다.

❸ 소리는 물을 통해서도 전달되고 딱딱한 물체에서 잘 반사되어 소리를 잘 들을 수 있습니다.

174~175쪽 논리 탄탄 코딩

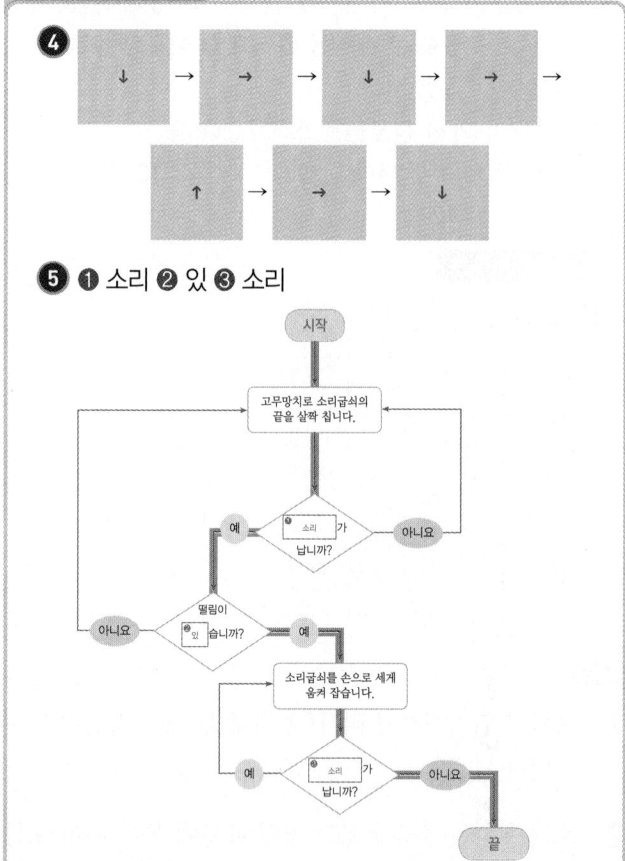

풀이

❹ 소리가 크게 들리는 순서 : 나무판 → 스타이로폼판 → 스펀지

❺ 소리굽쇠를 치면 소리가 나고, 소리 나는 소리굽쇠를 손으로 잡아 떨림을 멈추게 하면 소리가 나지 않습니다.

정답은
이안에
있어!

기초 학습능력 강화 프로그램

매일 조금씩 공부력 UP!

과목	교재 구성	과목	교재 구성
하루 수학	1~6학년 1·2학기 12권	**하루 사고력**	1~6학년 A·B단계 12권
하루 VOCA	3~6학년 A·B단계 8권	**하루 글쓰기**	예비초~6학년 A·B단계 14권
하루 사회	3~6학년 1·2학기 8권	**하루 한자**	1~6학년 A·B단계 12권
하루 과학	3~6학년 1·2학기 8권	**하루 어휘**	1~6단계 6권
하루 도형	1~6단계 6권	**하루 독해**	예비초~6학년 A·B단계 12권
하루 계산	1~6학년 A·B단계 12권		

※ 각 교재별 출간 시기는 조금씩 다르며, 일부 교재는 순차적으로 출시될 예정입니다.

배움으로 행복한 내일을 꿈꾸는

천재교육 커뮤니티 안내

교재 안내부터 구매까지 한 번에!

천재교육 홈페이지

천재교육 홈페이지에서는 자사가 발행하는 참고서, 교과서에 대한 소개는 물론 도서 구매도 할 수 있습니다. 회원에게 지급되는 별을 모아 다양한 상품 응모에도 도전해 보세요.

구독, 좋아요는 필수! 핵유용 정보 가득한

천재교육 유튜브 <천재TV>

신간에 대한 자세한 정보가 궁금하세요?
참고서를 어떻게 활용해야 할지 고민인가요?
공부 외 다양한 고민을 해결해 줄 채널이 필요한가요?
학생들에게 꼭 필요한 콘텐츠로 가득한 천재TV로 놀러 오세요!

다양한 교육 꿀팁에 깜짝 이벤트는 덤!

천재교육 인스타그램

천재교육의 새롭고 중요한 소식을 가장 먼저 접하고 싶다면?
천재교육 인스타그램 팔로우가 필수!
누구보다 빠르고 재미있게 천재교육의 소식을 전달합니다.
깜짝 이벤트도 수시로 진행되니 놓치지 마세요!